自分を整え、
暮らしを楽しむ
9つのスイッチ

Yutan

みらい PUBLISHING

はじめに

半径1メートルから始める、不可抗力に屈しない「元気」の見つけ方

もし、明日、あなたの身体が動かなくなっても、後悔しない生き方ができていますか？
今ある、あたりまえの毎日を失ったら、あなたはどんな風に生きますか？
岐路に立たされたなら、あなたは何を大切にして、日々の暮らしを営んでいきますか？

そんなことを考える機会が、2020年の新型コロナウイルスによって、誰にも与えられたと思います。外出の規制、仕事のあり方の変化、食料や日用品の最低限の確保など、生活の不便を余儀なくされ、体調を崩した方も多

くいましたよね。「今まであった、あたりまえの暮らし」「今までの自分の価値観」が変わることにより、大きな不安を感じた人は多いと思います。「今、あたりまえにある毎日を、突然失うこと」は、誰にでも起こりうることなのです。

私は、大腸の指定難病を22歳で発症し、身体が不自由になり、14年間引きこもらざるを得ない生活を余儀なくされ、ひと足早く「老いる」ことを体験しました。不安な毎日で、それまでの自分の生き方を酷く後悔しました。「もっとこうしておけば良かった」だらけで、治る見込みのない病気だったので、死ぬのを待つだけの毎日は、私にとって絶望を意味しました。

「外出できない」「食事を摂ることができない」「眠ることができない」「お腹が24時間痛い」「電話の音が怖い」「カーテンが開けられない」「人が怖い」……、私はどんどん病み、枯れていきました。

そんな私が、毎日の生活の中で、「身近な暮らしのあり方」を、ほんの少しずつ無理なく変えていっただけで「生きることは、よろこび」「毎日が楽しくてしかたない」「ありがたい、ありがとう、おかげさま」と、不安は消え、毎日に感謝が溢れるほどになりました。おまけに治らないと言われている病気の症状も出なくなりました。

いったい私に何が起こったのか？　どんな変化があり、何をして不安を安心に変えることができたのか、それを一冊の本にまとめようと思いました。

難しいことは何も書いていません。この本には、私が14年という長い年月をかけて自分自身を使って「食べ方を変えたら、何がどう変わるだろうか？」「持ち物を整理したら、何がどう変化するのか？」など、本当に様々な日々の小さな暮らしのことを、あれこれ試してきて「こんなことで、こんなに心地よくなるのか！」「つまらなかった生活が、楽しいと思えるようになった！」という、実験結果だけが書かれてあります。

低いハードルで始められるスイッチを探そう

簡単に取り組めて、私に効果のあったものだけを記録し、失敗例も含めて9つの種類（スイッチ）に分けました。そして忙しくても、力が出ない時でも……むしろそんな時こそ始められるように、巻頭にタイプ別診断チェックをつけました。あなたが取り組みやすく、最も効果が出やすい最初のスイッチを見つけられるように。

この9つのスイッチの特徴は、すべてがつながっているので、ひとつのスイッチに取り組むと、残りのスイッチにも思わぬ効果が得られます。得意なものに磨きをかけていたら、苦手なものまで好きになっていた！　といった感覚です。日々の暮らしの些細な工夫を積み重ねるだけで、気がつけば、自分という人間がどんな人かが分かり、自分に合った過ごし方を見つけ、「ああ、今日も楽しかった！」と、幸せを感じる毎日を送ることができるように、きっとなります。

どんなに気をつけていても、生きていれば思わぬことに遭遇するのが人生です。不安になってあたりまえ！　私こそ、とても不安の強い人間です。だからこそ、「こんなふうに生きたら、不安が小さくなった」「不可抗力にも屈しない心やすらぐ生き方があった」ということを見つけられたと思っています。

おいしい物を食べ、あなたの幸せを諦めず、友人と会話を楽しみ、よく遊び、よく笑い、働きすぎず、自分に正直な人生を過ごしてください。気づかない間に難しく考えてしまって、あなたの中で絡まってしまった堅く結ばれた糸がほどけていくような、あなたの背中を優しく撫でながら一歩前に進めるような、そんな読み物になったらいいなと思います。

どうぞ、頑張らずに好きなお茶でも飲みながら、パラパラとページをめくってみてくださいね。

9つのスイッチ 目次

序章 最初の扉を開けるたったひとつのスイッチ

第1章

食スイッチをオン！

本来の自分と出会う「食べ方」

第2章

身体スイッチをオン！

身体つきは、あなたの生き方を表している

第3章

美スイッチをオン！

一石三鳥「キレイ」「健康」「自信」を一度に得る方法

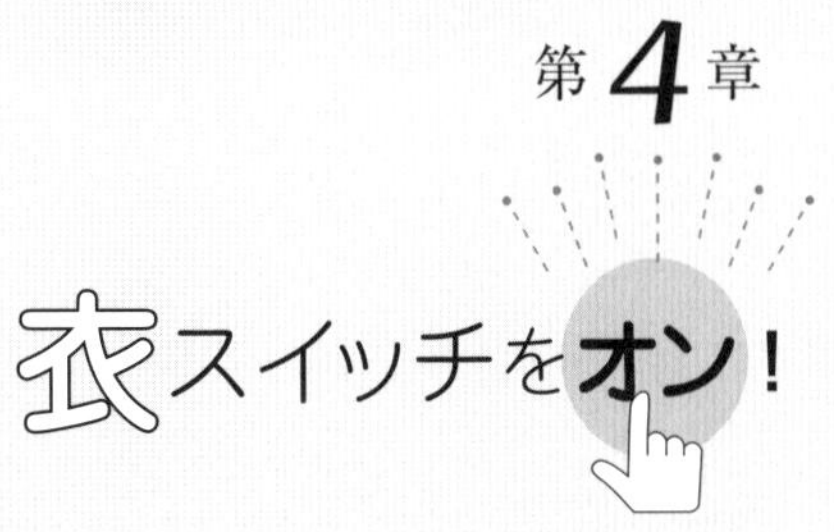

本当に着たい服は、あなたの世界を広げてくれる

第5章

住スイッチをオン！

部屋にすきま、空白、余白をつくろう

第6章

心スイッチをオン！

人は笑うために生まれてきた

第7章

遊スイッチをオン！

どんなことでもおもしろがろう

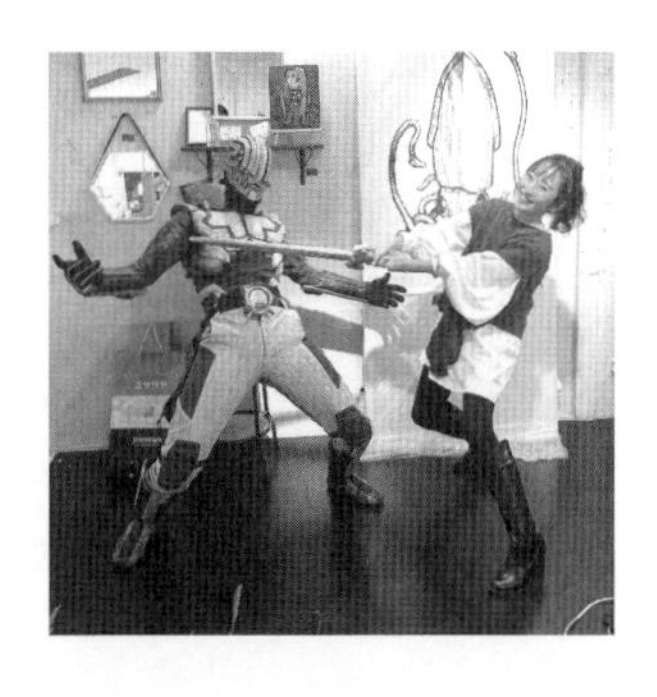

第8章

学スイッチをオン！

自分の知らない自分と出会う方法

第9章

表現スイッチをオン！

自分だけの何かを生み出す方法

カバー&177ページ 写真／撮影 さいそん
本文イラスト／Yutan
章末マンガ／KAORINGO

どんな環境でも楽しむ9つのスイッチ

低いハードルから始めてみる

私は、大腸の指定難病を22歳で発症し、身体が不自由になり、14年間引きこもらざるを得ない生活を余儀なくされ、ひと足早く「老いる」ことを体験しました。不安な毎日で、それまでの自分の生き方を酷く後悔しました。

（はじめに　3ページ）

好きなこと、やりたいことを

ルールは「自分が笑顔になる」こと

自分を笑顔にしてあげられる一番簡単な方法は、自分が自分に「おもてなし」することです。あなたにとって些細なことからでいいのです。どんなに小さなことでも「こうして欲しい」と周りの人に求めるのではなく、まずは自分でその望みを叶えてあげましょう。（第3章　83ページ）

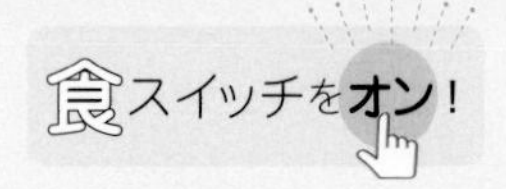

「一日3食・30品目」をやめてみた

カラフルな楽しい料理は元気が出るので子どもたちとつくったりします

一般的な情報を鵜呑みにするのではなく「しっかり自分が信じたものを選び、自分自身を観察する」ということが大切です。薬に頼らなくても、食材で自分の体調を自分で調整できるようになります。あなたが、あなたの一番の専門家です。（第1章　55ページ）

合う食材は自分で試して探そう

「自分で立つ」ほんとうの意味

身体と心は強くつながっているので、まっすぐ立てるようになると、不安定な思考や、他者依存的な思考も消え、心まで落ち着いていきます。

一番最初に取り組んだことは、この「美しい姿勢」を意識して日々過ごすこと、そして「キレイになりたい」という気持ちだけでした。（第２章　69ページ）

美スイッチをオン！

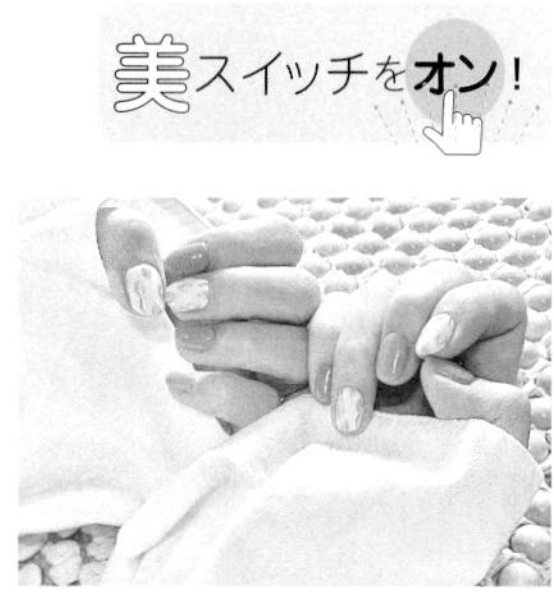

キレイになることを否定しない

綺麗になることで、女性としての自分が喜び、どんな健康食品よりも、どんな薬よりも一番元気になる効果があります。（第３章　84ページ）

人は笑うために生まれてきた

自分の想いに素直に生きることに、最初は罪悪感が生まれたり、怖いと感じるかもしれませんが、自分の本当の気持ちを分かってあげられるのは自分だけです。自分の想いを叶えてあげると、自分のことを信じられるようになります。そして自信がつきます。こんな風に生き始めると、必ず周りがざわつき、否定されますが、どうぞ気にせず、自分のすることに集中して、ただひたすら自分の道をまっすぐ進んでみましょう（第6章　150ページ）

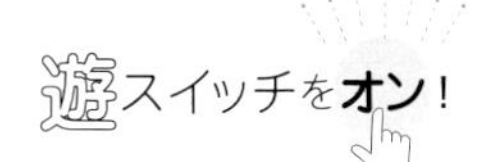

やり残した遊びを探してみよう

今まで心の隅に残っていた「本当はこうしたかった」という子どもの頃の夢を、今、大人になったあなたが自分で叶えてあげましょう！（第７章　169ページ）

「感じるままに」自分がやってみたいことをやってみたら、気づいたらそれが「上手に遊ぶ」ということでした。どんなことも遊び。難しく考えずに、自分の世界の中に、人だけでなく物だけでなく、いろんなことを織り混ぜて、バランスよく遊んでみましょう。（第７章　173ページ）

住スイッチをオン！

空白の中に片手で持てるだけの好きなものを

生き方と同じで、大好きな物でも、両手にめいっぱい抱えていると動けなくなります。私は病気で動けず引きこもらざるえない毎日でしたが、試しに部屋の物を減らしてみることにしました。すると「心にも部屋にも余裕」ができ、体調が整い始めました。部屋の整理整頓は、心と身体が元気になったひとつの要因だと感じます。（第5章　129ページ）

学スイッチをオン！

季節のしつらえを飾る楽しみ

大人になってからの学びは身につく

洋服選びはパートナー選びだと思う

洋服は自分の「今を感じる」物だと思います。そして「何を選び、どう着るか」は、まるで「何を選び、どう生きるか」と問われているように感じてしまうのです。
（第 4 章　110 ページ）

表現スイッチをオン！

評価は気にせず楽しめているか

元気のスイッチ選び タイプ別診断

YES・NOで質問に答えていくだけ！

最初のハードルは、低く、楽しく！
あなたにはどんなスイッチがおすすめか、
タイプ別にわかるチャートです。
ぜひ、チャレンジしてみてください！

START

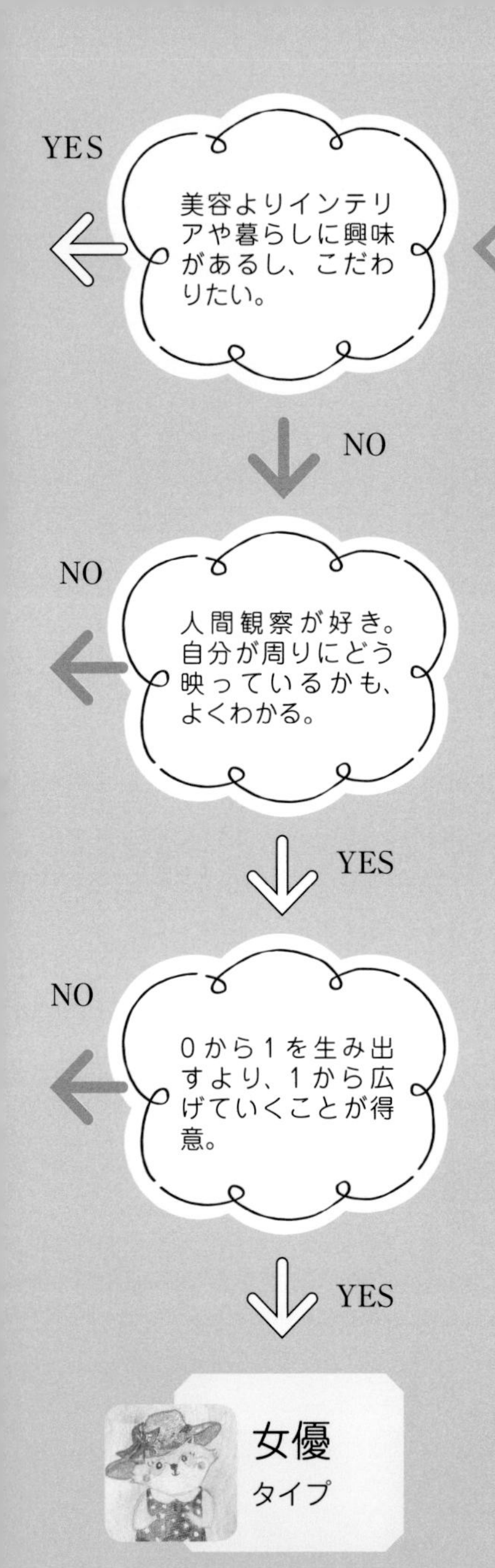

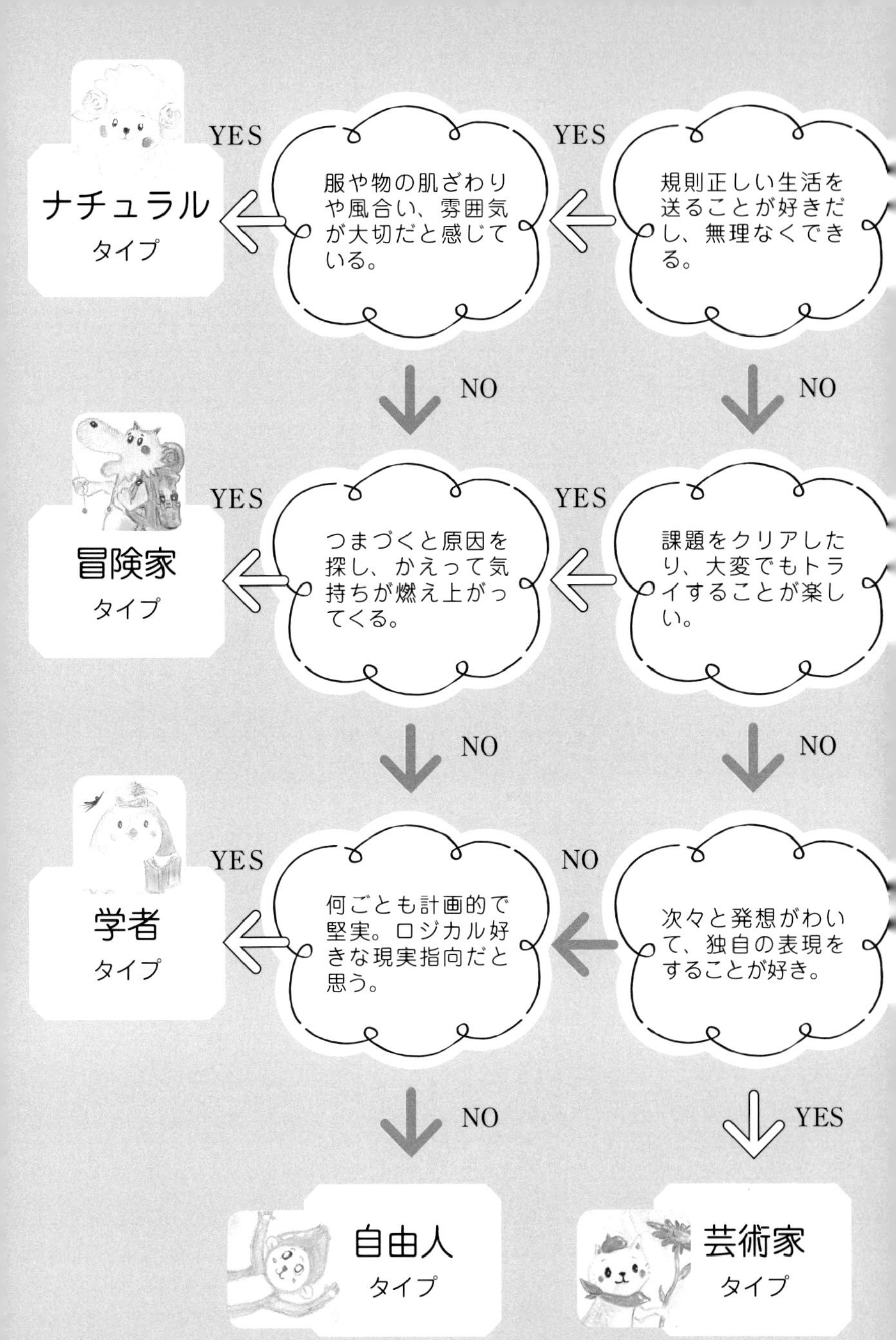

規則正しい生活を送ることが好きだし、無理なくできる。
YES
NO
服や物の肌ざわりや風合い、雰囲気が大切だと感じている。
YES
NO
ナチュラルタイプ
課題をクリアしたり、大変でもトライすることが楽しい。
YES
NO
つまづくと原因を探し、かえって気持ちが燃え上がってくる。
YES
NO
冒険家タイプ
次々と発想がわいて、独自の表現をすることが好き。
NO
YES
何ごとも計画的で堅実。ロジカル好きな現実指向だと思う。
YES
NO
学者タイプ
自由人タイプ
芸術家タイプ

ナチュラルタイプ

あなたは暮らしを大切にする本質があります。自分を愛しながら周りと調和をとり、穏やかな日々に感謝することで、よりいっそう周りを幸せにする力が広がります。ただ時々マイペースすぎるところもあるので、バランスに気をつけましょう。

おすすめスイッチ

住スイッチ
食スイッチ

冒険家タイプ

開拓者要素のある人です。誰かの前に立ち、沢山の人を率いるのに向いています。しかしエネルギーの強さに、ついていけない人も続出しがち。自分本意にならないように注意しましょう。自然を愛でるゆとりをもてば、多くの人から共感されるでしょう。

おすすめスイッチ

身体スイッチ
心スイッチ

学者タイプ

白黒ハッキリつけられ自分の意見をもっている賢い人で、流されません。また、自分と周りを冷静に判断し計算することもでき、とても素晴らしいです。しかし冷たく見られがちな印象を受けるので、挨拶などを大切にしましょう。

おすすめスイッチ

学スイッチ
心スイッチ

タイプ別診断結果&おすすめスイッチ

自由人タイプ

流れのままに「今」を生きられる、動物的カンのはたらく天才肌。奇想天外な面に周りは驚きますが、それを気にも留めずに自分らしく生きていける人。しかし、気がつけば孤独になりがちなので、もう少し人との繋がりを意識してみると良いでしょう。

おすすめスイッチ

遊スイッチ
身体スイッチ

芸術家タイプ

根っからの職人気質、アーティストのあなたは、周りからも個性派だと思われ、憧れられる反面、何を考えているのか分からないと思われがちです。調和を意識して過ごすことにより、あなたの世界観が、より広がるでしょう。

おすすめスイッチ

表現スイッチ
遊スイッチ

女優タイプ

あなたは洞察力があるタイプです。自分という「素材」に何を足したら良いのか、自然と把握できる人です。周りを見る力があるあまり、時々人と比べてしまうところもあるので、自分の興味ある世界に集中してみましょう。

おすすめスイッチ

美スイッチ
衣スイッチ

Yutan'sメモリー

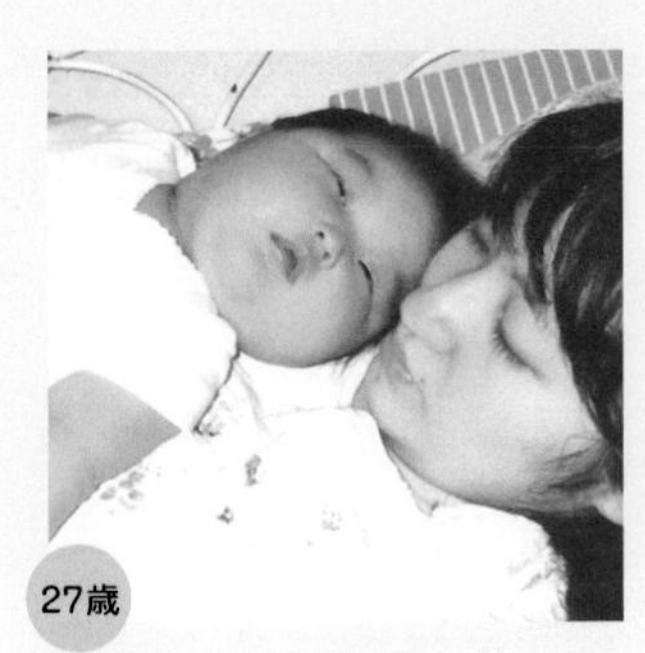

27歳

生まれた長女が重度のアトピー。
身体中真っ赤に腫れていました。

23歳

入退院を繰り返して、友
達は大型犬だけの頃。骨
と皮の37キロ。

毎日が楽しくないと怖
くて、3年間走り続け
ていたら、病気が再発、
心も壊れてしまいまし
た。この時、私は楽し
むことを「頑張りすぎ
て」いたのだと気がつ
きました。

38歳

35歳

変わろうと、意識し始めた時、おしゃ
れを再開する！　でも、まだまだ家
族で出かけても歩くことが身体的に
きつい頃。

現在

穏やかな幸せって、「ああ、今日もこんな
ことができて楽しかったな」と、そういう
自分の心の内を穏やかにする、素朴なこと
なのだと思います。

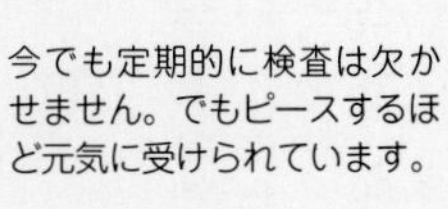

今でも定期的に検査は欠か
せません。でもピースするほ
ど元気に受けられています。

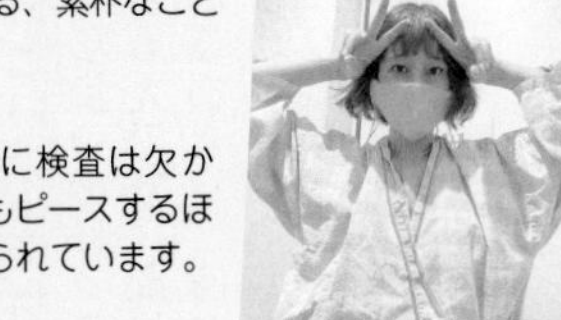

序章

最初の扉を開けるたったひとつの

あなたの中の錆び付いた扉

日々の生活の中で「あの人は楽しそうでいいな」と、人と比べて落ち込んだり「もっとおもしろいことないのかな」とスマートフォンを眺めて一日をだらだらと終えたりしていませんか？「今のまま働き続けて、このまま一生終わっちゃうのかな？」と不安を感じたり「将来の心配を感じずに今を楽しみたいなぁ」と思っていませんか？でも、仕事や家事など毎日の生活に追われ、そんなことを考える余裕も無ければ、何から手を付けたら良いのか分からない方も多いと思います。無駄な費用をかけたくないし、手間だって省きたいのが本音ですよね。

めんどうくさいのは嫌、簡単がいい！というのが忙しい今の時代を生きる人たちの声だと思います。とはいえ、自分の気持ちを後回しにするとどうなると思いますか？答えは「楽しい！」「嬉しい！」「嫌だな」「やりたくないな」という自分の気持ちが、いつのまにか分からなくなり、心が錆びつきマヒしていきます。最終的には「何をしていてもつまらない」という不感症になり、何となく日々のルーティンをこなすだけに慣れていってしまうのです。自分の「好き」「嫌い」が分からなくなってしまうなんて、何だかとっても怖くないですか？　充実感を味わえる毎日にしたくありませんか？

では、どうしたら錆び付いた扉を開けることができるのでしょうか？

最初の扉が一番重い

本書には、あなたの扉を開けるためのスイッチが書かれてあります。「こうしたら、こう変わります」という分かりやすいものも、「こんなことで、本当に何が変わるの？」と無意味そうに感じるスイッチもあります。数あるスイッチの中から、あなたが無理なく、回り道をしなくても手をつけやすいものだけを試していってみてください。苦手なものや、難しいと感じるものを無理やり取り組む必要はありません。なぜなら人と比べて落ち込んだり、自分のことを否定して、やる気を失ったり、自信を無くしてしまうのが一番残念なことだからです。

最初の扉が一番重くて、一番錆び付いていますが、一度開けてしまえば後には戻れません！　だって、こんなにも楽しくて笑顔になる、豊かな世界があるのか！　と知ってしまうからです。

これから紹介するスイッチは、机上の空論ではなく、実際に私が14年間、ああでもない、こうでもない、と毎日の暮らしの中でいろいろ試して、見つけてきたものです。この中から、あなたにとって手軽に取り掛かれて、最も効率よく効果の出やすいスイッチを28ページからの診断チャートを使って探してみましょう！

苦手なものや、難しいと感じるものに取り組む必要はありません。なぜなら人と比べて落ち込んだり、自分を否定してやる気を失ったり、自信を無くしてしまう時間が、もったいないからです。

そんなことより「なかなか、いい感じかも！」「簡単にできそうだな！」と感じる得意なものを何度も繰り返しましょう。いつしかコップの水が溢れ出すように、あなたの自己肯定感がいっぱいになり、自信や安心に変わっていきます。それが、閉ざされた扉を次々と簡単に開くことになる最初のスイッチになります。

扉を開けるスイッチの種類

スイッチを押すと、こんな状態になります！

〈食スイッチ〉：自分に合う適量を知り、体調によって食べ分けられ自分にあった体重になる
〈身体スイッチ〉：姿勢や歩き方が整い、楽しみながら生活に運動を取り入れられる
〈美スイッチ〉：肌ツヤよく、女性であることを謳歌していられる
〈衣スイッチ〉：心地良いと感じるものを、いつも身につけていられる
〈住スイッチ〉：自分の好きな物に囲まれ、余裕ある空間で心安らぐ状態をキープできる
〈心スイッチ〉：心が落ち着いて、いつもご機嫌でいられる
〈遊スイッチ〉：どんなこともユーモアをもって子どものように行動できる
〈学スイッチ〉：いくつになっても好奇心をもって新しい世界に飛び込み、謙虚に学べる
〈表現スイッチ〉：自分の感じたもの、想像したものを素直に形にできる

あなたに合うひとつのスイッチを見つける方法

この中から、あなたに合った簡単に押せるスイッチひとつを探すのは、カラーページのチャートを試せば分かります。そこで9つのうちのひとつだけを読んで取り組んでみてください。

あなたの中で徐々に意識が変わっていきます。そして心の中にゆとりが生まれます。それがいつのまにか習慣化して身についてくると、毎日が楽しくなりますよ。

そして人間は誰もが欲深い生き物なので「あ！　これも簡単そうだから試してみたいなぁ」と、本書に書いてあるすべてのことをやりたくなっているかもしれません。それくらい日々の暮らしの中で、実際に効果のあった取り組みやすい具体的なスイッチを書いています。

それでは、最初の扉がどこにあるのか、あなたに最適なスイッチを見つけましょう！

スイッチを押すと、どう変わっていくのか？

よく「私は周りから大切にされないんです」「私は、いつも酷い目に合うんです」と嘆いている人がいますが、ためしに自分が自分のことを大切に、清潔に、丁寧に、穏やかに、笑顔で接してあげてみてください。きっと状況は変わりますよ。

自分が、自分のことを、どう扱っているかが、そのまんま、自分に対する周りの反応だと私は実感しています。なぜなら、私が私のことを無下に扱っている時、私は周りから理不尽な目に合い続けました。そうです！「私は周りから大切にされないんです」「私は、いつも酷い目に合うんです」は過去の私が言っていたことですから。今は真逆。「どんな自分も大好き」「私は私がとても大事」が、そのまんま周りから跳ね返ってくる毎日を過ごしています。それほど「自分を大切にするスイッチ」を押すことが重要なのかをお分かりいただけたでしょうか？

例えば暮らしの中に潜んだスイッチでは、「毎日使うマグカップをお気に入りに変えてみた」という何の変哲も無い行動によって、目に入るたびに「なんかテンションが上がるな！」↓「丁寧にコーヒーや紅茶をいれてみよう！」↓「Instagramに投稿してみようかな」↓「テーブルに花があると素敵かも」↓「お気に入りのカップで、こだわりのコーヒーを飲む私って素敵だな」↓「ゆったり読書したいかも」……という風に、最初のスイッチさえ押せば、ドミノが次々と倒れていくように自然に扉が開いていき、あなたらしい「心地良い」日常が見つかります。

直進で加速する時もあれば、カーブで減速する時もあります。止まることだってあります。もし勢いが無くなり、次の扉が開かなくなっても焦らなくて大丈夫です。そんな時は、また本書を開いて新たにスイッチを押してみてください。またパタパタと楽しい音をたてて、心地良い世界との出会いが、あなたを待っています。

この「ささやかな幸福感」の積み重ねが、あなたの毎日の暮らしを豊かにしてくれ、楽しいと思えることが確実に増えていくのです。

一大決心をして取り組むような、高い山を登り続けるような、そんなしんどいことをしなくても、「そんなことでいいの？」といったハードルの低そうなことを繰り返しやっていけば良いのです。次第に「自分を大切にすると、周りからも大切にされる」を体感できるようになりますよ。

第1章

食スイッチをオン！

本来の自分と出会う「食べ方」

◁◁◁ 自分の適量を知り、体調によって食べ分けられ自分に合った体重になる

食スイッチを入れるためのあなたにピッタリの行動診断！

当てはまるものはいくつ？

①食べたいと思う物を、毎食、食べるようにしている
②バランスよく食べることを心がけている
③ひと口30回以上噛んでゆっくり食べている
④「おいしい！」と思って食事をしている
⑤身体を冷やす食事を摂りすぎないようにしている

◆3～5個

自分の身体としっかり対話ができています。自分で料理をしているなら、よりすばらしいです！　その自然体の暮らし方を人に伝えると、また新たに世界が広がります。器や空間にも自分の好きな物を取り入れましょう。より幸福度が増します。

◆0～2個

体調が優れない、肌の調子が悪いのなら、本当にお腹が空いた時にだけ、本当に食べたいと感じる物を味わって食べてみましょう。自分が自分の身体をゴミ箱のように扱っていたことに気づきますよ。

自分の身体の声を聴くだけで自然痩せ

「痩せたいけれど、食事を減らしても、運動をしても、何をしても痩せない」「それどころか、年齢を重ねるほど代謝が落ちて太りやすい」――そんな風に感じたことはありませんか？　背中やお腹まわりの肉、こんもりとした二の腕のせいで、ワンピースにはカーディガンが必需品。いったい、いつこんな体型になったんだろう、と落ち込んだことはありませんか？　笑顔の画像を見返したら二重あごの自分……。すぐにでも削除したい思いにかられたことはありませんか？　鏡に映る自分を見て「若い頃は細かったんだけどな……」なんて思ったりしていませんか？　これ、全部過去の私です。「どうせ年齢にはあらがえないし」と、重力に負ける自分の姿を40歳を過ぎる頃から諦めていました。

もし、あなたが私と同じように感じているのなら、ちょっとおもしろい話があるのです。食スイッチを押してしまえば、自分の身体の声を聴くだけで、いとも簡単にそんな悩みは解決してしまった、という話です。

自然に半年で10キロ体重が落ちた話

2020年の新型コロナウイルスで太った！　という話をよく耳にしましたが、あなたはどうでしたか？　中には痩せたという人もいましたよね。

私自身、結論からいえば、無理なく、やつれることもなく、運動もほぼせずに、綺麗に短期間で自然に10キロ痩せました。嘘のような本当の話です。病気ではありません。私にとって、自粛生活が今まで以上に「自分を知る」という機会になり「食べ方」が変わっただけで、その結果をもたらしたのです。肌まで毛穴が引き締まり、若返りました。

もともと標準体型ではあったものの、自分に合った食べ方を見つけただけで、今は学生時代よりも細く引き締まった身体を手に入れ健康になりました。これが本来の無理のない私なのかもしれません。その方法、気になりませんか？　ダイエットでも食事制限でもなく、ハードな運動をしているわけでもありません。ご飯もお肉もお酒もケーキもチョコもアイスだって、好きな物を食べて大丈夫です。ファストフードも欲しくなれば食べて良いのです。ランチと一緒にいただく、お昼から飲むお酒なんて最高ですよね。健康的なバランスの良い食事を常に摂らないといけないわけでもありません。

食べること、心のこと、身体のこと、すべてはつながっています。食べ方を意識すれば、心と身体も変わるということです。それでは私がどんな風に、自分に合った食べ方、量、食材を見つけ、健康的に痩せながら、楽しい生活に変化していったのかをお伝えしますね。

「一日3食・30品目」をやめてみた

一日3食30種類の野菜や穀物、タンパク質などをバランスよく食べる！ という言葉を、どこかで聞いたことはありませんか？ 私は、この朝昼晩の3食30品目信仰を、わりとしっかり守っていました。しかしある日、胃のあたりが痛い日が何カ月も続きました。私の右手は、気づけば胃をさすっている状態。その後「逆流性食道炎」と診断されてしまいました。薬を飲めば治るものの、またすぐに悪化を繰り返し、おまけに指定難病である大腸の持病まで雲行きが怪しくなり、再発しそうになりました。

自分の適量を知る方法

どうにか体調が改善しないものかと休息しましたが、なかなか改善しません。最終的に、胃腸の負担を減らすことを考え「本当にお腹が空いた時にだけ、本当に食べたい物を、ひと口30回以上噛んで食べる」を試すことにしました。最初は空腹の感覚がマヒしているのか、お腹が空いた感覚もなければ「グー」とお腹も鳴りませんでした。ようやく、お腹の音が鳴ったのは食べるのをストップしてから一日半経った頃でした。「グー」という音は「腸をキレイにして次の食事の準備ができましたよ」の身体の合図みたいなもの。しかし私は、この合図が鳴る前に、次から次へと食べ物を胃に流し込んでいたのでした。「朝昼晩3食を食べなければいけない！　それが健康になる秘訣！」と思い込み、自分の身体の声なんて聴こうともせずに、過剰な栄養を与え続けていたのでした。

それからというもの、私は「グー」というお腹の音を頼りに、音が鳴ってから、よく噛んで、今、自分の食べたい物を食べることを、ひたすら繰り返していきました。まるでそれは自分の感覚を回復させるためのリハビリのようでした。

ほどなくして腹痛は治まり、体重がスルスルと自然に落ちはじめ、私はとても元気になりました。「これはすごいぞ!」と効果を実感すればするほど、このライフスタイルを続けることが楽しく、おもしろくなり、気づけば習慣化していました。「食事は腹八分目」なんて気にしなくても、自然にお腹いっぱい食べることも無くなり、満足感が得られるようになりました。自分に合った食べ方を見つけ「食べながら綺麗に痩せる」という最高のスパイラルが起きました。体型や肌も若返り、着たい洋服をおしゃれに着ることができ、おまけに元気になりました! 自信も生まれ、良いことづくし。毎日が今までより楽しくなりました。

「自分に合った食べ方や適量は、世間の常識とは違う」のです。「3食きっちり食べなければいけない」という思い込みを手放すことができました。自分に合った適量を探すには、自分の身体の声に耳を傾けることです。まずは「グー」というお腹の合図。その次に、よく噛むこと。そうしていく中で、あなたに合った食事の回数は2回かもしれないし、4回かもしれないし、量ももっと少ないかもしれないし、多いかもしれ

な同じように「良い」わけではありません。ないし、時間だって人それぞれ。一般的に「良い」と言われるものが、みんながみん

「水一日2リットル」は多すぎた件

もうお分かりだとは思いますが「一日に水を2リットル飲むと身体に良い」という説にも同じことがいえます。水をたくさん飲むと、皮膚や細胞組織をベストな状態に保ち、肌のツヤを良くするのに即効性があると言われますが、実際にそれを決行した際に、私は「冷え」「むくみ」がひどくなり、汗すらかかなくなったことがありました。よくよく考えてみれば、身長も体重も年齢も性別も筋肉量も血液量もすべて違う私たちなのに、すべての人が「水2リットルが良い」も、おかしな話

ですよね。それが合う・合わない、効果がある・効果がない、さまざまなのが自然ですよね。

食べ方は生き方だった

あなたには、あなたに合う量や種類やスタイルがあります。それを見つけることができるのは自分だけ。自分自身を、よくよく観察してみてください。肌や体温、身体のどこかが「冷たい」「痛い」「かゆい」「匂う」「重い」「赤みがある」など、ちゃんと身体が答えを出してくれています。食べ物や食べ方を自分に合った形に整えていくことをすれば、自然と体調は良くなります。間違っても「ああ！　もったいない！」と、欲しくもないのに家族の食べ残しを口にして、自分の身体をゴミ箱にしないようにしてくださいね。

「こんなことをしたい！」と思うと、それに見合った量を無意識に摂取しますが「こんなことをしたい！」を結果的にしなければ、それが身体に残ったままになってしまいます。それが贅肉。だから思ったことを我慢せずに行動に移していけば、自然とあなたらしい体型になります。ほどよく食べて、ほどよく胃腸を休ませて、食べること、生きることを楽しみましょう。食べ方は生き方です。どうせなら毎食楽しく！　毎日楽しく！　人によっては「早起きが自然にできるようになった！」など、思わぬ結果を得られるかもしれません。私がそうでしたから。

ひと口30回以上噛んでみた

実は自分が「食べ過ぎている」ということに気づいていない人がほとんどです。食べ過ぎてしまう原因のひとつが「早食い」です。一回の食事時間が10分に満たないのなら早食いと思っても良いでしょう。脳がお腹いっぱいという合図を出す前に、たくさん食べてしまうのです。さらに「ながら食べ」も「自分が今、何を、どれだけ食べている」という意識をもてないので、いくらでも食べてしまいます。どんなことでも「今、自分がしていることに集中する」というのは、とても大切です。レコーディングダイエットという食べた物を記録するダイエット方法がありますが、それはつまり「自分の行動を意識する」というものです。

ひと口ごとに、30回も噛んでいれば自分は何を食べているのか意識せざる得ないわけですし、もちろん胃腸への負担も減り、その時間に、脳もお腹いっぱいの合図を出せるわけです。この、「ひと口、30回以上噛む」を習慣化していくことで、私は自分がいかに食べ過ぎていたのかという事実に気づきました。そして自分に見合った食事量が分かり、体調不良が改善し、体重も自然に落ちたというわけです。

でも本当にそんなことで、自分に合った食事量が分かるの？　体調不良が改善するの？　しかも痩せるって本当？……そんな風に思っている方も多くいらっしゃると思います。そこで、人の食べ方を観察し続けたお話をシェアして、納得していただきたいと思います。

身の回りの観察レポート

私は外食するたびに見知らぬ人の口元に注目し、噛む回数をこっそり数え、その人の体型と噛む回数の相関関係を意識して見るようにしました。チェーン店でラーメンを食べる、ふくよかな女性は5回噛んで飲み込み、その横にいる見た目が普通体型の人は平均15回くらい噛んでいる……とか、遠くの席の体格の良いお腹がこんもり出た男性も、だいたい6回から7回噛んでいる。またある時は、おしゃれなカフェで20代くらいの女性の口元に注目すると、同じような標準体型のおふたりは、ケーキをひと口平均13回モグモグしていました。そんな風に数カ月、いろんなお店に行っては、老若男女年齢に関係なく観察し続けた結果、やはり噛む回数が多く、ゆっくり食事を楽しんでいる人ほど細身の体型をしていて、噛む回数が少ない人ほど、ふくよかな体型をしていることが分かりました。

この結果を、うらやましいほどのモデル体型をした友人ふたりに話をすると「食べるのに時間がかかるので、外食は周りに気を遣うから苦手」とふたりとも話をしてくれました。「もしかしたら、噛む回数、多くない?」と尋ねると、ひとりは平均、ひと口50回、もうひとりは80回ほど噛んでいることが判明しました。おまけにアイスクリームですら4、5回噛んでいたよ! と自分でもびっくりしたと報告されました!

私はと言うと、10キロ痩せる前は、ひと口平均5回噛んでいて、卵かけご飯は「飲み物」だと思うほどでした。いくら食べても空腹を感じていたのは、噛まなかったからです。今は食べ物にもよりますが、ひと口30回以上噛むようになりました。そのおかげで体調不良も無く、食べすぎることも無く、自分の適量を知ることができました。

暴飲暴食に気づき女優食べを

また、こんな興味深い情報もお知らせします。新型コロナで自粛生活中に誰もが知っている美しい女優さんが、ライブ配信で視聴者と夜ご飯を一緒に食べる企画をされていました。女優さんがテイクアウトしたご飯を無意識にモグモグ食べて、お酒を飲みながら楽しそうに過ごしています。思わず私は「こんな綺麗な女優さんって、何回噛んでいるのかな？」と気になり、失礼ながら噛む回数を何回もカウントしました。

みなさん、何回だと思いますか？　みなさんが平均5回しか噛まない餃子を、女優さんは約30回モグモグ噛んで食べていました。女優さんの美しくいるための秘訣をナチュラルな形で拝見できた瞬間でした。ビールもスイーツもお肉も、好きな物は食べるけれど、よく噛んでいる。ここまで読むと、食べ方がどれほど身体に影響を及ぼすのか伝わったのではないかな？　と思います。体調が優れない、肌の調子が悪い……なんて時は、食べ方や、食べる時間帯や、自分に合った食材を見直すきっかけにしてくださいね。自分の口にした物が、あなたの身体に結果として表れます。

フランスの政治家であり、美食家として有名であったジャン・アンテルム・ブリア＝サヴァランの名言があります。「Dis-moi ce que tu manges, je te dirai ce que tu es.（どんなものを食べているか言ってみたまえ。君がどんな人であるかを言いあててみせよう）」（『美味礼賛　上』関根秀雄・戸部松実訳　岩波文庫刊）自分を知ることは、とても大切なのです。

合う食材は自分で試して探そう

私の娘は生後1カ月に満たない頃から重度のアトピーでした。肌は茹でたタコのように真っ赤で、大きな病院の医師にも匙を投げられるほどの状態でした。離乳食が始まる頃、血液検査をするのですが、ほぼすべてがアレルゲン。かといって食べさせないわけにもいかず、ここで私は娘の口にした物と、肌の状態の相関関係を、かなり細かく観察することにしました。

例えばニンジンを食べると20分後に身体に赤みが出て、それが6時間後に消える。次の食事ではニンジンをはずす……、といった作業を繰り返して、肌が赤くなる物を、ひとつずつしらみ潰しに見つけていき、安全に食べられる娘に合った食品を探していきました。3歳頃には、すっかり普通の子と変わらないほど綺麗な肌になりました。

これを、今のあなたに置き換えて考えてみてください。肌が弱い人は、肌に合図が現れますが、咳や腹痛など、自分の弱いところに症状は現れます。もし、あなたが「季節の変わり目だから体調を崩したな」と思っていても、もしかしたらその時期の旬の食べ物が原因かもしれません。私は毎年、春と秋に体調不良になっていたのですが、苺や梨を食べていたからか！　と気がついたのは最近のことです。今では食べ物で自分の身体を調節することができるようになってきました。それは本で読んだ知識でもなく、世間で良いとされている食べ物や、この病気にはこの食べ物が良いと言われるものとは違います。自分で気になる物を、自分の意思で試した結果です。声を大にして言いたいのは、一般的な情報を鵜呑(うの)みにするのではなく「しっかり自分が信じた物を選び、自分自身を観察する」ということが大切だということ

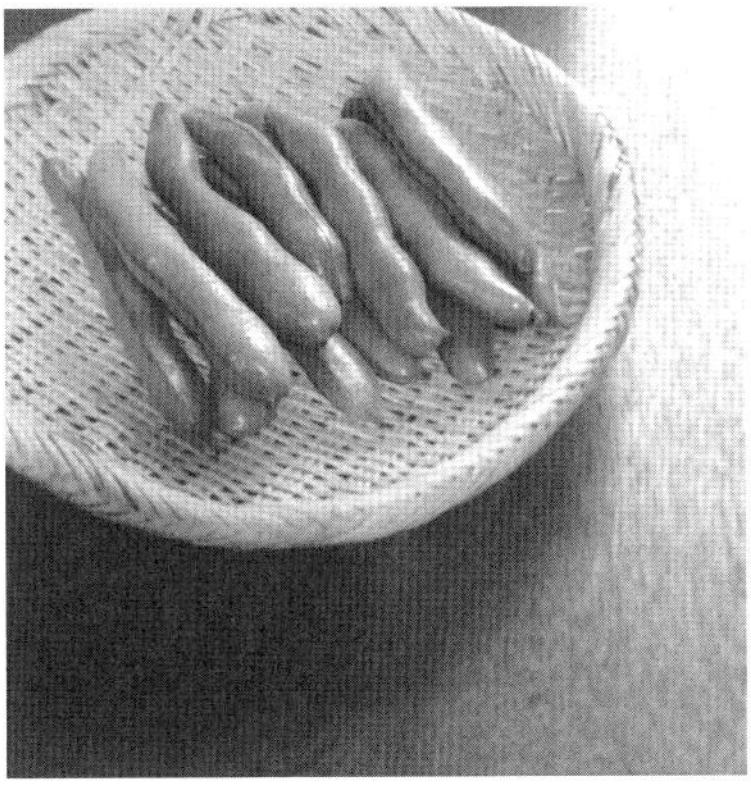

です。「あなたに合った食材は、あなたの身体が教えてくれます」。薬に頼らなくても、食材で自分の体調を自分で調整できるようになります。あなたが、あなたの一番の専門家です。

日常使いの食器を変えてみた

余裕がある時にぜひ、試していただきたいことがあります。それは「お気に入りの器を使う」というものです。まずは毎日使うマグカップなど、飲み物のコップをお気に入りの物に変えてみてください。一番良く目にし、手に触れる物を大好きなモノにすることで、使うたびに気分が上がり、想像以上に毎日が楽しくなります。それが、器の魔法。器から食が豊かに変わるのです。ほんのちょっとしたことの積み重ねが、暮らしを心豊かなものに導きます。

お気に入りであれば百円のコップでも良いし、出番のないお客様用の高級な物を、自分に使ってあげるのも良いかもしれません。陶芸用の粘土で、手づくりのコップや器をつくってしまうのも、愛着が湧いて良いかもしれません。とにかく「わ！　これ好き!」と感じるものを使ってください。少しずつ、鈍っていた自分の感覚を取り戻せるようになります。「これが好き」「幸せだな」と感じることを、暮らしの中にどんどん増やしていくことがコツです。

そして、コップの次は料理を乗せる器を少しずつお気に入りに変えてみましょう。手づくりの食事はもちろん、買ってきたお惣菜も、いつもより何倍もおいしく見えます。次第に「食卓に花を飾ろう」「ランチマットをつくろう」「箸置きを季節の物にしてみよう」と、私は心にゆとりが生まれていきました。また、ゆっくりと食事を楽しむ習慣が自然と身についたり、目や手に触れるものを大切に扱うようになるので、所作も自然と丁寧になり美しい人という印象も生まれます。さらに「身体に良い物を食べたい」と意識が変わっていき、

自分で食べる野菜やお米をつくり始める人もいます。「たかが器、されど器」なのです！

食卓がマンネリ化したと感じたなら、季節感を感じるしつらえをしたり、家の中でも「おべんとう」にしてみたり、野菜を型抜きしたり、あまった野菜を乾物にしたり、保存食をつくってみたり……、いろんな工夫を楽しんでみてください。最初は「めんどう」と感じていたようなことが、実は「おもしろい」と変化していく自分にも、出会えると思いますよ。

食スイッチのまとめ

★お腹が鳴ってから食べよう
★本当に食べたいと思う物だけ食べよう
★ひと口、30回以上噛んでゆっくり食べよう
★自分に合った食べ方を見つけよう
★体調を調整できる食べ物を見つけよう
★器や食卓を彩ることを楽しもう
★ハーブや野菜を育ててみよう

猫の好物のチ○ールが、
私の病院食みたい。
なんなら、チュー○の方が
味が濃そう…。

第2章

身体スイッチをオン！

身体つきは、
あなたの生き方を
表している

◁◁◁ 自分の身体を自分で支えることができるようになろう

身体スイッチを入れるためのあなたにピッタリの行動診断！

当てはまるものはいくつ？

①週に3回以上適度な運動を楽しめている
②朝、自然に気持ち良く目覚められる
③姿勢良く過ごせている
④自分の身体の弱い部分を知っている
⑤身体を冷やさないように気を遣っている

◆3～5個

身体が良く整っている状態です。体幹を意識した体操を取り入れながら、日々の暮らしを楽しんでいきましょう。スポーツだけでなく、興味あることに、どんどんチャレンジして、元気に、いつまでも若々しく過ごしましょう！

◆0～2個

風呂の中や、寝転んだままで良いので、簡単なストレッチをしてみましょう。外出時はいつもより大股で歩いたり、階段を使うようにしたり、姿勢よく過ごすことを意識しましょう。リンパの流れも良くなり、肩凝りや腰痛、体調不良が改善します。

自分の意思が大切だった

序章でも紹介したように、私は過去に指定難病になったことで、外出もできず食べることもできず、生きる楽しみを失い、死ぬのを待つだけという毎日を送っていたのですが、その病気を改善させようと必死になっていたのは、私自身より、家族や友達でした。

周りのみんなが「あれがいい! これを試したらいい!」と、いろんな健康食品やサプリメントをもってきてくれたり、知り合ったばかりの人ですら高価な民間薬を分けてくださいました。「アガリクス」「サルノコシカケ」「酵素」……。中には、山の湧き水をもってきてくださる方もいらっしゃいました。私は、病院で処方された薬と、何種類ものサプリメントを、合わせて一日30錠以上飲んでいましたが「どうせこんな物で治るはずがない」と投げやりでした。今だから言えますが自分で「治らない」と思い込み、そう決めているのだから完治などあり得ないのです。望みどうり、病気は少しも改善しませんでした。

私の意識を変えたのは、主治医の「ステロイドが許容量を超えています。大腸を全摘し、お腹に袋をつける手術をしましょう」という言葉でした。それは私にとって「死ぬ」より嫌なことでした。「手術なんて絶対にイヤ！　病気を治す！」と決め、インターネットや本を片っ端から読みあさり、いろいろな情報を隅々まで調べ始めたのでした。ようやく私は私のことに本気になったのでした。

健康食品とサプリメントをやめてみた

どうして治らなかったのか、今なら分かります。それは「すべて人まかせだったから」です。もちろん医師におまかせするしかない部分もありますが「自分で治す！」と決意し、精神的な部分を改善したことが大きいです。

どんなに体調がひどくても病気の克服について自分で徹底的に調べ、外出が厳しくても自分で行動し、自分の心と向き合っていきました。食べ物を変え、薬を変え、運動を取り入れ、本当にありとあらゆる可能性を試しました。良くなったり、悪くなったりを繰り返し、こうして一冊の本になるほど行動してきました。人まかせだったら、こうしてみなさんに語れる言葉は生まれていなかったと思います。

その実験結果が、本書なワケです。

病気の克服においては、最終的に「美しくなる」を目的にした時に、今までの苦しみや痛みは何だったのだろうか……と言うほど、自然と病気の症状が消えていきました。私がどんなことを試してきたのかは第3章の「美スイッチ」も併せて読んでみてくださいね。

合わない体操で逆効果

健康について考えた時、暮らしの中に「適度な運動」を取り入れてみよう! と誰しもが思うものですが、実際、世間で良いとされている運動を取り入れたところ、本当に効果があるかどうか分からず、逆に体調を崩したことはありませんか?

私は過去、体調の良い時、月に2回というペースで、健康に良いと言われる代表格の「ヨガ」の教室に通ったことがありました。

体操中はそれなりに身体がほぐれて気持ちが良く、ジワっと汗をかくので「身体に良いことをしている自分」に気持ちが満たされていました。しかし、次第に持病が悪化。「健康に良い」とされる「ヨガ」が、身体の不調をもたらすわけがないと思っていました。それでも、体調不良のタイミングがヨガ教室と重なるので、ここは「自分の身体の声」を大切にし、思いきって一度退会することにしました。

するとどうでしょう。身体の不調は治りました。つまり、私には、そのヨガが合っていなかったのです。もしあなたが運動をしても体調が優れない場合「自分に合っていない体操で、身体に負担がかかって無理をしている」ということもあるのです。

一般的に良いと言われている体操や、食べ物や、生活スタイルでも、自分にとってはどうなのか？　と自分自身と対話することがとても大切です。多くの人にとっては良い結果であっても、自分自身にそれが当てはまるとは限らないのです。それほど「自分を知る」ことは大切なのです。

無意識な思いを意識してみた

身体の不調と言えば「頭痛、肩こり、腰痛」をよく聞きませんか? 私も過去、これら3つにひどく悩まされ、鎮痛剤が手放せず、ひどい時は毎日服用していました。しかし、私はある無意識な思いに気づき、それを意識して行動に移すだけで、身体を痛みのないものに導いてあげることができました。そのいきさつをお話ししますね。

頭痛、肩こり、腰痛の症状を訴えていた当時の私は、身体を良くしたい! と思い、定期的にタイ古式マッサージで身体をゆるませて、整体で全身を整えてもらっていました。しかし、施術を受けた直後は体に羽が生えたように軽く、まっすぐ立つことができているのに、その効果がちっとも持続せずにいました。姿勢なんて、その日のうちに崩れてしまい、頭痛や肩こりなどの症状も数日後には現れました。これでは意味がない! 自分でどうにか良い状態を保てないのか? と考えるようになりました。

そんなある日、自分の身体のことを無意識に「人にどうにか良くしてもらいたい」

「人に治してもらいたい」という風に思っている自分だから治らないのかも！　と思い、その意識を改めることにしました。具体的には「自分でまっすぐ立つ」「自分で自分のことを良くしよう」と思いました。それなら、何が必要か……？　私は「美しい姿勢」「美しい歩き方」を学びに出かけることにしました。

身体スイッチが押せた件

２０１６年当時、姿勢を学べる教室なんて、あまり見かけない中、たまたま手にしたフリーペーパーの中に気になる「美姿勢」という文字を見つけて、「ユミ式美姿勢講座」というものに行きました。

レッスンで私の目の前に現れた鄭由美先生は、50歳を越えているのに、ピンと背筋が伸び、お顔がツヤツヤしていらっしゃいました。「キレイだな」「私もこんな風になりたい！」と思いました。それが私の「身体スイッチ」を押した瞬間でした。

だいたいまっすぐ立てていると思っていた姿勢も、実はグラグラで歪み放題だったことに驚きました！　私は美しい姿勢や、美しい歩き方、身体を整える体操を学びました。そうしているうちに、頭痛も、肩こりも、腰痛も嘘のように消えていきました。そして、まったく無かったはずの体力も少しずつ培われ、私は嘘のように元気になっていきました。それほど姿勢を整えることは大切なのです。

「自分で立つ」本当の意味

整体など、時々プロの力をお借りして整えてもらっても、それを維持する力は自分で育まなければいけません。「自分でまっすぐ立ちたい」と、美しい姿勢を身につけていく中で、身体の中心に「軸」ができていきました。

身体と心は強くつながっているので、まっすぐ立てるようになると、不安定な思考や、他者依存的な思考も消え、心まで落ち着いていきます。私の重い病気が回復に至った出来事はいろいろと本書に書いてありますが、一番最初に取り組んだことは、この「美しい姿勢」を意識して日々過ごすこと、そして「キレイになりたい」という気持ちだけでした。「キレイになる」を目標にすると「健康」が後からついてきた!というお話は3章の「美スイッチ」に詳しく書いています。

美しい立ち方とは？

いろんな身体のスペシャリストの先生方が口を揃えて大切だと、お話しくださったのは「骨盤を立てること」。分かりやすくイラストにしておきますね。骨盤が前や後ろに傾いていると、膝に負担が出たり、お腹が出たり、歩き方まで変わっていきます。骨盤が、地面と垂直になるように普段から意識してみてくださいね！　私も意識して過ごしています！

「姿勢」を意識して過ごすだけで、身体の不調も無くなり、心も前向きになりました。日々の積み重ねが、自分の今をつくっているのだと実感しています。「自分で立つ」本当の意味を知りました。

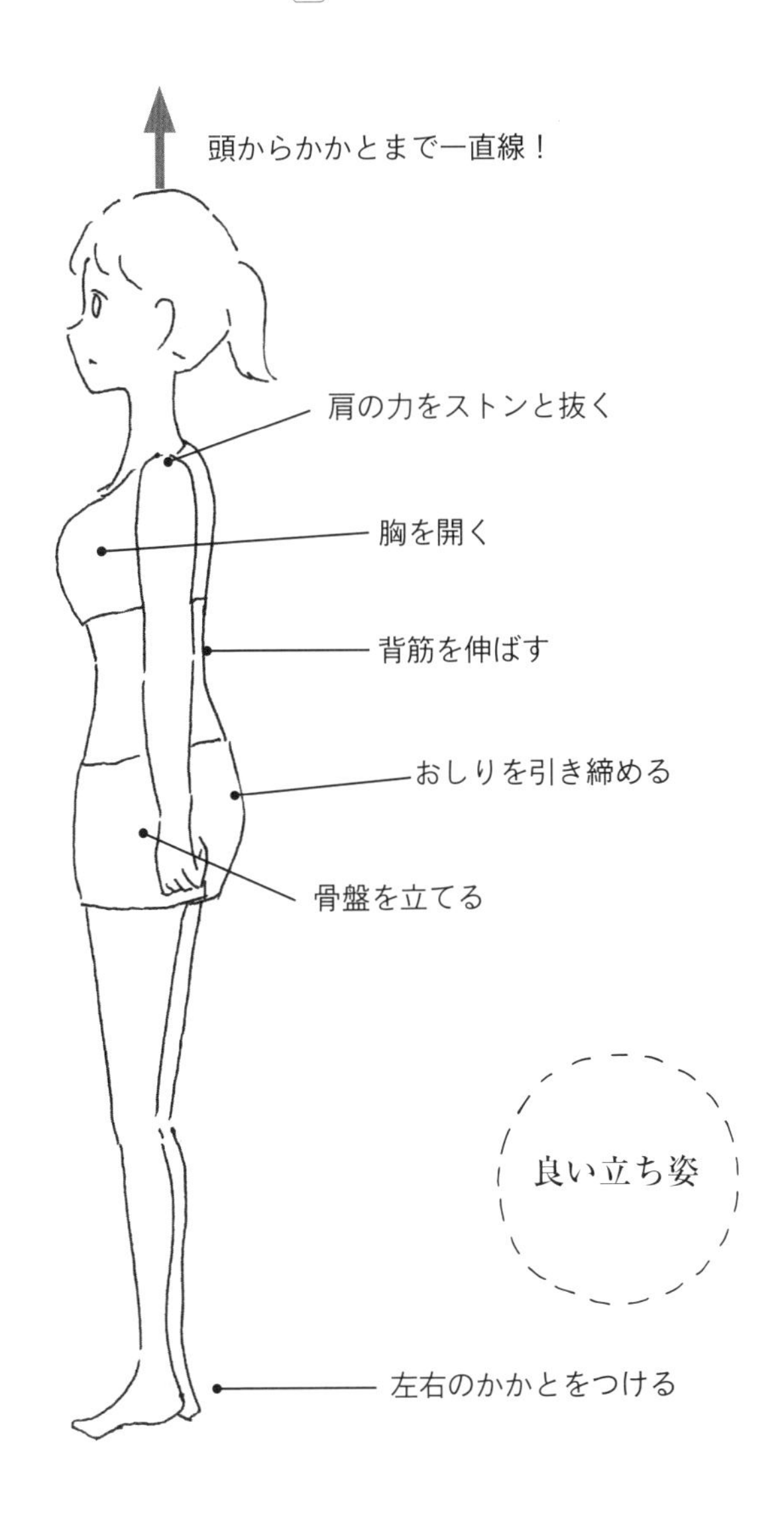
頭からかかとまで一直線！
肩の力をストンと抜く
胸を開く
背筋を伸ばす
おしりを引き締める
骨盤を立てる
良い立ち姿
左右のかかとをつける

意識が体型に表れていた

美しい姿勢を継続させながら、次にしてみたことは「体幹」をつけることです。心と身体がつながっていることを実感した私は「姿勢を整える＝心が整う」「体幹をつける＝心が強くなる」と考えました。身体の外側に筋肉をつける筋トレだけだと「ハリボテ」になり、バランスが悪くなり、グラグラ気持ちまで不安定になると思いました。

実際「筋肉をつけて引き締めたらかっこいい！」と考え、ボディービルダーのいるジムに通っていた友人は、身体の外側だけ筋肉をつけていました。話を伺うと、思考そのものも外側を良く見せるアンバランスなものだったので、体幹をつける運動を取り入れたらどう？ と提案しました。すると身体も考え方もしなやかになり、顔つきまで柔らかいものになりました。でも、サボると元の体つきに戻ってしまいます。それは、意識が変わっていないからです。いい影響を受けながら「自分でも整えていこう」と決めなければ、周りがいくら言っても変わりません。いかに「自分の内側を整える」ことが大切かを目の当たりにした出来事でした。見せかけだけ凄そうな自分になっても意味がありません。それでは自信につながらないからです。外側は女性らしくしなやかな身体のまま、しっかり軸のあるものにしよう！　と思いました。

あなたは、裸になって全身を鏡に映したことありますか？　よく自分の身体を観察してあげてみてください。なぜかって？　身体は、あなたの生き方を物語っているからです。

ある時「脇が甘いから脇に肉がつく」と言われたことがありました。当時、この言葉は私にとって図星でした。仕事で詰めが甘いから、最後の最後で自分が努力してきたことも、誰かの手柄になることが多く、理不尽な思いをしても「まあ、いいか」と流していました。まさに脇が甘いから、脇に肉が流れている状態だと思いました。

それから生き方を変え、自分で責任をもつ行動に改めただけで、私の脇の肉は目立たなくなりました。とりたてて筋トレはしていません。意識と行動が変わっただけです。あなたの身体の硬い所、歪んでいる所、それは生き方を改めると、より良くなるよ、という目印かもしれません。

運動嫌いでもできた「ながら運動」

そうして始めた体幹づくりですが、私はとにもかくにも「めんどうくさがり」。運動が長続きしたことなど一度もありません。そんな私でも習慣化できた、いくつかの「一日のながら運動」をご紹介しておきますね。

Instagramにも、たくさん効果的な運動が載っています。やりやすい運動を取り入れてみると良いかもしれません。

①朝起きた布団の中で仰向けになり、膝を曲げて、つま先を立て、肩をついたままお尻を浮かせます。これでヒップアップします！

②朝、お湯を沸かす待ち時間に上半身を右と左にひねります。これでお通じも良くなりウエストも細く!!

③洋服に着替える時に腕をグルングルン高速で回して

おく。背中のお肉がとれて、肩こりにも効果ありです!

④出先で立つことがあれば骨盤を立てて、お尻をしめます。座ることがあれば、浅く腰かけ、思いっきり息を吸い込んでお腹をぺたんこにしてキープ! 下腹がへこみます!

⑤入浴後に直立して足のつま先を上に浮かし、背中をそらして5秒キープを繰り返す。かなり腹筋がつきます!

⑥布団の中で寝転んだまま、軽くストレッチ。身体をゆるめリラックスさせます。

一日の運動はその程度です。楽しみながら、何回できたのかゲーム感覚で続けてみましょう。後は、日々の暮らしの中で、友達にさよならの挨拶をする時、学生の頃のように「バイバーイ」と、ものすごく大きく手を振ることを意識しています。なぜなら肩甲骨を動かして、背中の肉を撃退! できるから。大股で歩いてヒップアップを心がけたり、スマホを見る時も、うつむいた姿勢にならないようにしたり、その程度です。それだけでも、意識が変われば行動が変わり、行動が変われば身体が変わり、身体が変われば心も整います。日々の、ちょっとした積み重ねです。

すべてはつながっています。私は「キレイに歳を重ねる女性たち」と出会ったことがきっかけで意識が変わりました。あなたも、そんな誰かや、何かに出会ってください。この本が、そんなきっかけになれば幸いです。

身体の土台を整える順序

では、どうすれば身体を整えることができるのか？　最初は誰もが歪みきっているので正常な状態が分かりません。さもすれば、何年も歪み続けて凝り固まっているのが普通になっています。

そんな時は人間の土台の骨を整えるのが良いと体感しています。私が過去にしていた「タイ古式マッサージ」や「整体」は筋肉を緩めて整えるものに対し「カイロプラクティック」は、骨や骨につながる関節を整える施術です。かれこれ3年ほど通っていますが、徐々に歪みがとれ、最初の頃は金づちで肩を叩いても痛くもなかったマヒした身体が、今ではそっと手を触れられるだけでも気持ちが良いと感じるようになりました。まずは土台！　基礎が大切です！　骨を整え、それをキープする美しい姿勢を保ち、体幹を整え、その後、筋肉を緩ませたり鍛えたら良いのだと思います。内側から徐々に外側へ。

よく夜10時から2時のゴールデンタイムに睡眠をとると肌がキレイになると言われますが、美肌だけでなく、ストレスがかかって歪んだ背骨のねじれも、その時間帯に寝ていれば調整してくれます。しっかり睡眠もとっていきましょう！　眠りにくい場合は、リラックス効果の高いラベンダー、オレンジ、ベルガモット、ローマンカモミールのアロマオイルを利用してみるのもおすすめです。

こうして心身を整えていった結果は、あなたの身体の中からお手紙が届きます。それが排泄物。匂い、形状、色、重さ、粘液や血の有無。いつもと何か違うのであれば、それは身体からのメッセージ。体調を整え直してくださいね。「自分を知る」とは、何も心や身体だけではありません。身体から出てくる排泄物も、身体から生えてくる髪の毛や爪も、あなたの状態を教えてくれています。「汚いもの」「汚いところ」なんてありません。どんな自分のことでも、しっかりと見てあげましょう。

身体スイッチのまとめ

★サプリメントに頼るのをやめてみた
★自分に合った体操を取り入れよう
★自分で立つことを意識しよう
★まずは軸！　身体の内側から整えよう
★暮らしの中に無理なく「ながら運動」
★自分の身体をしっかり観察しよう
★排泄物は今を教えてくれる手紙

第3章

美スイッチをオン！

一石三鳥
「キレイ」「健康」「自信」を
一度に得る方法

◁◁◁ 肌ツヤが良く、女性であることを楽しみ、毎日を謳歌した自分になる

美スイッチを入れるための
あなたにピッタリの行動診断！

当てはまるものはいくつ？

①バスタイムに寛いで過ごせている
②スキンケアやメイクをすることが楽しい
③ヘアケア、ヘアスタイルなど
髪や髪型を気遣っている
④香りに気を遣っている
⑤自分のチャームポイントを知っている

◆3～5個
しっかり時間をかけて自分を大切にしてあげられています。その調子で「自分→自分の部屋→家全体→外」に意識を広げましょう。心の内も外も整理されて、ますます幸せな気持ちを感じられるようになります。

◆0～2個
まずは自分の肌に触れる物を、快適と感じる物に変えてみましょう。下着、タオル、パジャマ、シーツ、化粧品ｅｔｃ……。そして身につける物を選ぶ時には「自分が嬉しくなるもの」を。気分が明るくなり、自分を大切に思えるようになりますよ。

「キレイになりたい」を自分で叶えて

ネイルをしよう！　メイクをしよう！　エステをしよう！　髪の手入れをしよう！……そんな風に「キレイになる」を行動に移していくと、健康食品やサプリメントに頼って「健康」や「体調不良の改善」を目指していた時よりも、簡単に自然に元気になることができました。そのことは前章の「身体スイッチ」でも書きましたね。「キレイになりたい」を自分で叶えることで、ここ数年、風邪もひかなくなり、いろんなことにチャレンジすることが楽しくなりました。

「美」を意識することは「キレイ」「健康」「自信」と、一石二鳥にも三鳥にもなるってご存知ですか？　あなたが女性であれば「もっとキレイになりたい」「もっと可愛くなりたい」「好きな人から愛されたい」と思うのは、いくつになってもごく自然なことだと思います。その「何だか、こうなればいいなぁ」「憧れちゃうなぁ」と内側から湧き上がってくる自分のいろんな感情を否定せずに、それを、そのまま素直に叶えてあげてほしいのです。

その気持ちは、あなたの心の扉を開けるスイッチです。綺麗になり、イキイキ活動的になり、自信もつき、気がつけば健康になっていた！　そんな一石三鳥のスパイラルが起きますよ。

「もう歳だから」「私なんて、ぜんぜんダメですから」なんて、おっしゃる方が時々いますが、諦めるのは「もったいない！」の一言につきます。自分を卑下したり、否定しないであげましょう。女性なら誰だって、綺麗になってモデルさんのように素敵な洋服を着こなしてみたいとか、綺麗な自分を女優さんのように撮影してほしい！なんて、心の奥底で思っていたりしますよね。それは、けっして恥ずかしいことでも、おこがましいことでもありません。同性にも異性にも「キレイ」「かわいい」とほめられたら嬉しくなりませんか？　綺麗になった自分の姿を想像するだけで、何だかニヤニヤして楽しい気持ちになりませんか？　その気持ちを大切にしてみましょう。

自分で自分におもてなしする

「あー、私なんて無理無理無理」と、できない理由を探すのを一度ストップしてみましょう。「家族のことをしないといけないから」と、いつも自分を後回しにするのをやめてみましょう。あなたから湧き上がる想いを、あなたが受け止めて、少しずつ無理なく叶えてあげましょう。

自分を笑顔にしてあげられる一番簡単な方法は、自分が自分に「おもてなし」することです。「ネイルをしてみたいな!」「贅沢だけどヘッドスパしてみたいな!」「かわいい色のチークが欲しいな!」「おしゃれして、流行りのランチを食べに行きたいな!」……。あなたにとって些細なことからでいいのです。どんなに小さなことでも「こうして欲しい」を周りの人に求めるのではなく、まずは自分でその望みを叶えてあげましょう。

私は「自分をキレイにしてあげよう」を、自分自身で叶えていくことで、序章にも書いた治らないと言われていた重い病気が回復していきました。

まず、自分に合ったメイクを学び、美しい姿勢や歩き方も学び、贅沢だけれどエステにも行ってみました。都会の美容院にわざわざ出かけてみました。ネイルも、まつエクもしてみました。写真もプロのカメラマンにたくさん撮影してもらいました。綺麗な人が集う賑やかな場所にも行きました。綺麗になることで、女性としての自分が喜び、どんな健康食品よりも、どんな薬よりも一番元気になる効果がありました。

もちろん、最初の頃は「主婦が自分の美容にお金を使うなんて悪だ」と思っていたので、お金をかけないようにノーメイク。髪も美容院へ行かず自分で切ってみたり、ネイルやエステなんて、とんでもない！　と思っていました。家族に合わせてジャージに身を包み、地味でいいんだ！　と自分に言い聞かせていました。私は、私の気持ちを誤魔化し、自分に我慢を強いていました。でも、本当の気持ちは「こんなの嫌」でした。身体中を、むしばんでいた原因をつくっていたのは、周りに合わせることを選んでいた自分自身でした。

自分が生きやすくなる「声」を採用すべし！

主婦でも「キレイ」になっていいんです！　ママでも「可愛く」なっていいんです！　歳を重ねても「美しく」いていいんです！

そんなのダメ！　と思うのなら、それはあなたが世間の声の「ダメ！」を拾って、その意見を採用しているからです。そんな意見を採用して、タイムリミットのある人生を棒に振らないでほしいのです。どうせなら、あなた自身が生きやすくなる声を採用してください。この世の中には、あなたの知らない生き方をしている人や世界が本当にたくさん存在します。何を選んでも、すべてオッケーです。どう生きるかは自分で決められます。あなた次第で世界はいくらでも変わります。

おばあちゃんのように老け込み、重い病気だった私が、美容を日々楽しむ40代の今、20代に間違われたりもします。娘とお店に行くと「お会計、別ですか？」と尋ねられるのが普通になりました。治らないと言われている病気の症状もまったくありません。

元気に綺麗になったママを見て、子どもたちは喜んでいます。パートナーだって自慢だと思いますよ？　そして「キレイになる」と、どこへ出かけても楽しくなるもので、いろんなことにチャレンジしたり、イキイキとした毎日に変わっていきました。自分の身体を、自分の顔を、自分の髪を、自分を愛してあげてくださいね。美意識をもって過ごすだけで、あなた自身をとりまく世界が変わります。自信が付き、気持ちが前向きになり、笑顔が増え、自己肯定感が上がり、人間関係が変わり、自分の内側も整ってきます。

世間の声を採用するのも良いですが、騙されたと思って、私の声を採用してみるのはいかがですか？　きっと、おもしろいことが起きますよ！　さあ、扉を開けてみましょう！

「もったいない」「ありえない」ことにお金を使ってみた

「キレイになる」と言っても、色々な方法があります。普段のあなたとは違う時間のかけ方、お金の使い方をしてみると、新しい発見があるかもしれません。

例えば「爪なんて、一カ月で伸びて、切ってしまえば終わりだから、そんなところにお金を使うなんて、もったいない」と過去の私は思っていました。

それでもある日「後回しにしていた美容にお金を使ってみよう」と思い、まずは試しに爪を綺麗にするために、数百円のマニキュアを買ってきて「自分で塗る」ということをしました。かわいい爪が視界に入るたびに幸せな気持ちになり、マニキュアを塗る行為自体に豊かさを感じることができました。でも、そのうちすぐにハゲてしまう爪にイライラし、不満に思うようになり、塗りかえることが、めんどうくさくなりました。ある時、費用がかかるけれど「ジェルネイルをしてみたいな」そんな風に私は思うようになりました。そう思ったら、それが私の内側から溢れる本音です!

本音を採用していく。その癖をつけていきましょう。それが「美スイッチ」を押すコツです。

その後、お店に行ってジェルネイルを体験する！　という贅沢を味わってみると新たな発見がありました。施術をしてもらう時間に、お店の方と話をすることが大きなストレス解消になったり、同じように、その楽しさを味わう「自分のことを大切にしている女性」と出会うようになりました。「そんなの無駄！」と言う人から離れていくことになるので、少しずつ人間関係に変化も起こります。約一カ月綺麗な状態を保つ指先が、こんなにもトキメク気持ちになるのか！　という良さは、体感しないと分からないことかもしれません。

今では私にとって欠かせないジェルネイルですが、自分にとって、そんなに重きをおいていないと思っているところに、思わぬ効果や効能がひそんでいました。「やってみなくちゃ分からない！」のだから、しない理由を並べる前に「気になる！」ということは、どんどん行動に移してみましょう。

否定してしまう嫌いなところに扉があった

もしあなたが他人を見て「いいな」とうらやましく感じる人がいるのなら、あなたもそうなることができます。なぜなら、あなたの中に「ある要素」だから見えるのです。その要素が無ければ気づきもしません。諦めない限り、否定しない限り、あなたもそうなることができます。

また「あんなのありえない！」「普通は、そうゆうのダメだよね」「ちょっと意地悪しちゃおうかな」と否定したくなる人や、心がザワザワする人がいませんか？　おもしろいことに、その人の嫌だと感じる部分に「あなたの本当の願い」「あなたの本当はこうなりたい！」が隠れています。

例えば、結婚しているのに自由を謳歌する人を否定しているのなら、あなたも本当は自由になりたいんです。母親なのにおしゃれしてバッチリメイクの人の悪口を言っているなら、あなたも本当はおしゃれしてメイクしたいのです。自分に満足している人は、誰かを否定することはありません。自分と他者との違いを認められるからです。あなたが「否定したくなる」「見たくない」「嫌い」というところに、あなたの綺麗になるスイッチがひそんでいます。さあ、否定されるぐらいの自分になってみませんか？　でも、あなたが否定をやめたら、否定されない世界につながっているんですけどね。

否定していた存在に自分がなってみた

現在の私は「過去の私が一番大っ嫌いな、ありえない女」です。母親なのに、流行りの服を着て、おしゃれを楽しみ、綺麗にメイクして、あちこち出かけて、かわいいカフェに行き、やりたいことを、とことんやって、社会的な結果も残していく。こんな女を見たら「こうあるべき」をしっかり守っていた、自称「良妻賢母」「優等生」だった過去の私は「あんなに出歩いて、子どもさんや旦那さん、かわいそう」「よくあの歳でＳＮＳに顔出し投稿とか、恥だと思わないのかしら？」「気持ち悪い！　若づくりして。いくつか分かってんのかしら？」「あんな風には絶対なりたくないわ」――そんな風に全否定していたと思います。きっと、頑張って自分の思いを我慢して生きている方から現在進行形で、これと同じような陰口を私は叩かれていると思います。でも、今なら分かります。私は、そんな風に自由に生きる人たちが、全力で心底うらやましかっただけでした。

短い人生、他者を監視して悪口を言っているなんて、時間がもったいないと思いませんか? そんな場所から、さっさと一抜けた! と飛び出しちゃいましょう。そのためには、まず最初に悪口をストップして、即席で効果の出る「メイク」の力を借りましょう!

パーソナルメイクをしてみた

学生時代のバッチリメイクから、いつの間にか、すっかり遠のき、数年前まで化粧品カウンターに座るのも自信がなく怖かった私ですが、まずはドラッグストアの化粧品を買い、スキンケアする時間をつくりました。両手で丁寧に優しく肌を包み込みました。何だか砂漠のように乾ききった肌が、喜んでいるように感じました。「キレイになりたい」その自分の気持ちを叶えるべく、体調が優れない中でしたが、私はパーソナルメイクの講師になるための講座に通うことにしました。「メイクの先生」なら、普段から派手なメイクをしていても誰かに何かを言われても言い訳できる！　と当時の私は思っていました。人の目なんて気にしなくていいのですが、そうして自分を守っていたのでしょうね。

そこでは、顔の骨格や色から、目の錯覚を利用して、なりたい顔になれる、ありとあらゆるメイク方法を学びました。自分のコンプレックスを補なったり、チャームポイントを活かしたメイクをしてみたり、とてもおもしろいものでした。もともと本業が画家なのもあり、顔に絵を描くだけなので、とても楽しく、自分も周りにいる女性たちも自然と笑顔があふれ、どんどん綺麗になっていきました。

それと比例して、気づけば私の重い病気の症状が消えていました。嘘のようでしたが、メイクにはいろんな効果があるのでは？　と思っています。がんの患者さんにメイクをするといった活動をされている友人の話だと、みなさん綺麗になった時に、とても嬉しそうな笑顔になる！　と言われます。ずっと病院のベッドの上だと、本当に心までむしばまれてしまいます。私にとっても、下ばかり向いていた闘病生活の中、メイクは久しぶりに「色」に触れ、元気を取り戻すきっかけになったと思っています。メイクは女性を元気にする魔法だ！　とも感じました。

コンプレックスはメイクでチャームポイントに変わる

それからというもの、不満や悩みを抱える女性たちに元気になってもらいたくて、画家ならではの視点を取り入れた「心から笑顔になるメイク」を教えていました。その方のコンプレックスを聴いて、その部分を補うメイクを一緒にしていました。

目が離れているのが気になるのなら、目の内側にラインを入れたら良いし、鼻が低いのが気になるのなら、ノーズシャドーを入れたら良いし、目を大きく見せることも、垂れ目にすることも、輪郭を変えることも、絵を描くのと同じ。錯覚を使うだけで「なりたい顔」に、いく

らでも近づけることができます。また、自分ではひどくコンプレックスだと思っていた「切れ長な目」や「まるい鼻」など、実はその方の最もチャーミングな部分であったりします。他者の目を通すことで、自分の魅力を再発見できるもの。この「自分に合ったメイク」をきっかけに人生が好転したお客様の、ほんの一例を紹介いたします。

自分に合ったメイクをして差し上げたAさんの話

これは、生涯独身宣言をしていた38歳の女性が、自分に合ったメイクをすることをきっかけに、女性としての自分に許可を出せて、幸せになった実話です。

「はじめまして」と挨拶をされた時、自分の顔を髪でおおい隠し、ほぼ顔が見えない状態で現れたAさん。「自分は女性として幸せになってはいけない」とひどく思い込んでいました。「顔を伏せ、目を合わせられないほど自信がない」このような女性に自信を回復する手っ取り早い方法が「メイク」です。

このような方は育った家庭環境、親子関係に特徴があるのがほとんどですが、その根っこの問題を解決するには体力と精神力が必要になり、他者も関係してくるので思うように事態が進展せず、とてもしんどい状態が続きます。わざわざ過去の問題を掘り起こして取り組まなくても、今を大切に過ごせるように「女性としての自信を回復する」ことが先決になります。

そこでAさんに華やかなメイクをして差し上げ、写真を撮ることにしました。「かわいい！」「その表情いいね！」と声をかけるたびに、緊張もほぐれ、慣れてくると、自然の笑顔になります。とびきりの笑顔になる瞬間を写真に納め、ご本人に見ていただきます。その時「キレイな自分」と、人生初めて出会うのです。そして自己肯定感は一気に上がります。

「私、キレイでもいいんだ」と、自分の存在を愛するスイッチが入ります。その繰り返しが、女性を綺麗にかわいく元気に導くのです。

それからというもの、Aさんは髪色も変え、おしゃれを楽しみ「女性として愛されてもいい」と自分に許可を出せ、たった一年で優しい旦那様とご結婚され、ご子息が生まれ「毎日幸せです！」とおっしゃっています。そして才能を開花され、アーティストとしてもご活躍。「キレイ」になることは「幸せに気づける」一石三鳥の方法なのです！

バスタイムを工夫してみた

ネイルで新たな価値に気づき、メイクでコンプレックスを解消したのなら、ぜひ「髪のお手入れ」「肌のお手入れ」もして「自分に優しく触れる」ことを知って、自分を大切にして欲しいと思います。

それを叶えることができるのはバスタイム！　バスタイムは夜が常識的かもしれませんが、身の周りにある「あたりまえ」に従う必要はありません。朝夕関係なく、あなたが入りたい時に入浴すれば良いのです。一日2、3度入っても良いのです。お風呂には「心と身体がゆるむ」効能がたくさんあります。バスタイムを利用して、綺麗に磨きをかけましょう。

お風呂で身体が温まることにより、筋肉がゆるみ肩こりを軽減したり、頭皮の血流も良くなり、ツヤのある髪に導いてくれます。むくみだって解消されます。新陳代謝が活発になることからダイエット効果もあります。湯船の中では浮力がかかり、重力から解放されるためリラックス効果があるとされています。

さらに効果を高めたい時はアロマオイルを用いてみたり、温泉由来の入浴剤で日本縦断を楽しんだりもできます。自分の好きな香りに包まれ、キャンドルを灯して、ゆったり湯に浸かるのも、癒されますよね。泡風呂を楽しむのも海外の映画のワンシーンみたいで気分が上がりませんか？　気軽に近くの銭湯や天然温泉を楽しむのも、心豊かに過ごす方法のひとつです。普段シャワーで済ませている方も湯船に浸かってみてくださいね。毎日の積み重ねが「自然体の美」をつくり上げます。

肌を優しく撫でてみた

バスタイムに身体や顔、髪を洗うと思うのですが、意外と強い力でこすっている人が多いようです。手のひらで撫でるように洗うだけでも汚れは落ちます。もし強い力でないと気持ちが良くないのなら、肌の感覚がマヒしています。そんな風に自分のことを扱って生きていませんか？

赤ちゃんやペットを撫でるように、優しく自分に触れてみましょう。化粧水やクリームをつける時も、優しくまあるく自分を包み込むように、肌が動かないくらいに、そっと触れるだけで良いのです。それだけでもやわらかな肌に生まれ変わりますよ。

いくら高級な美容液をつけても効果を実感しにくいのであれば、肌の基礎の部分が荒れているから、水分を吸収し保つ力が無いのです。肌も髪も、ベースとなる部分を整えてこその美容液でありトリートメントです。その基本は「自分の状態を知る」ことです。最低限のケアにとどめ、本来の自分がもっている力を引き出すケアをすることが大切です。睡眠も、もちろん大切ですが「優しく撫でる」だけで女性ホルモンであるエストロゲンが分泌され、ヒアルロン酸やコラーゲンが増えます。また幸福ホルモンが増えると言われています。「肌を撫でる」と副交感神経が優位になり、血の巡りも良くなり、肌本来の力を取り戻し、内側から輝く美肌になり、ハリも生まれます。

お風呂上がりのタオルもゴワゴワした物よりも、肌触りの良い、やわらかい物に変えるだけで幸せを感じるものです。

そしてあなたの大好きな人と触れ合うことは、心も身体もツヤツヤになる最大の美容法でもあります。スキンシップを楽しみましょう。

寛げる安心できる施術者を選んでみた

さて、あれこれと綺麗になる方法をおすすめしましたが、自分でできることは自分ですれば良いのですが、美容院にしろ、マッサージにしろ、エステにしろ、自分でできないこともあるわけです。その時に大切なのが「心が整った施術者と出会う」ことです。なぜなら施術者の匙(さじ)加減で効果が変わるからです。「おまかせ」するしかないのなら「おまかせする人」をしっかり選びましょう。

ある時、長距離ランナーの友人に紹介されたマッサージに行きました。難しい専門的な説明と共に施術は終わりました。たしかにむくみもとれて、身体は軽くなったのですが、終わった後に心が重い、という体験をしました。

またある時は、エステに行くと気持ちが良いはずなのに、その施術者の世間話を聴いて、どっと疲れたという体験をしました。

またある時は、カッコイイ雰囲気の美容院に行き、施術後は綺麗なのに、その後、髪が薄くなっていくという体験をしました。

この3つの共通点は「施術中に私がリラックスできていない」ということでした。「キレイになる」と「リラックスする」はつながっていると気がつきました。

美容関係の施術を選ぶコツは、あなた自身がゆったり寛げる、清潔で楽しい空間であること。しっかり話を聴いてくれ、丁寧におもてなししてくれ、必要なタイミングで必要最低限の施術をしてくださる信頼のおける施術者であることです。自分の大切な肌、髪を触れることができる人は、自分でしっかり吟味しましょう。そうすれば、最高のリラクゼーションを得ることができます。もちろん、気分転換で違う方に施術をお願いするのも時には良いとは思いますが、美容の施術は「安心感」が大切。今のあなたが心地良いと感じる方にお願いしましょう。

そしてプラスαを求めるなら、自分の枠を広げるような提案をしてくれる施術者に出会えたら、あなたの毎日は、より豊かになります。「知らない自分に出会う」「自分の短所を活かそう！」といったプロの視点を取り入れてみてください。それらがあなたにとって考えてもいなかった変化だとしても、実は気づいていなかった魅力的な部分だと気づかせてくれることもあります。そういう私も「刈り上げ」を提案されて、カッコいい自分と出会えたひとりです。また、コンプレックスのくせ毛がチャームポイントだったのか！　と気づかされたりもしました。

美スイッチのまとめ

★綺麗になることを自分に許可しよう
★ネイルをしてみよう
★自分に合ったメイクをしてみよう
★バスタイムを楽しもう
★肌や髪を優しく撫でよう
★肌に触れるタオルを肌触りの良い物にしよう
★大好きな人とスキンシップしよう
★リラックスする環境をつくろう
★否定したくなる人、見たくない人にヒントがある
★信頼できる施術者を探そう
★思いきってプロの助言を取り入れてみよう

第4章

衣スイッチをオン！

本当に着たい服は、
あなたの世界を広げてくれる

◁◁◁ 自分らしさを身にまとい、自分の魅力を活かせるようになる

衣スイッチを入れるためのあなたにピッタリの行動診断！

当てはまるものはいくつ？

①クローゼットの中はお気に入りの洋服ばかり
②年齢に関係なく着たいと思う洋服を着ている
③洋服や靴の手入れを日々している
④何年も大切に着ている洋服がある
⑤過去、洋服を買って失敗した経験が何度かある

◆3～5個
自分のスタイルを、よく把握できています。いつもと違う物を取り入れて気分転換してみたり、違う種類の洋服を着て、普段、行かないような場所にも行ってみましょう。新しい価値観に出会えますよ。

◆0～2個
周りの目を気にすることなく、本当に着たいと思う物だけを選んで、試着しましょう。おしゃれすることを、自分に許してあげましょう。少しずつ、選んだ服に見合う自分になりますよ。

立場のレッテルをはがしてみた

あなたが「お寺の奥さん」と聞いたら、どんなイメージを思い浮かべますか？　黒い髪？　グレーやベージュの服？　化粧っ気の無い顔？　物静かな雰囲気？　私はそんな風に「お寺の奥さん」にレッテルを貼っていました。そしてお寺に嫁いだ私は、自分や社会が思うイメージどおりの「お寺の奥さん」になろうとしていました。

それは本来の私から、かけ離れた真逆の人間像で「そのままの私ではダメだ」と、自分で自分を抑え込み、自分に嘘をついて生きるしかありませんでした。なぜなら、私自身が世間のレッテルどおり生きることを選んでいたからです。

しかし、自分らしい生き方ではないので、私はどんどん病んでいき、持病がこれ以上ないほど悪化しました。自分を誤魔化して生きると、心も身体も枯れていきます。そしていつかは、自分の本質や本音と向き合う時が自然にやってきます。逃げても逃げても、自分を生きるまで何度でも問題は起こり続けます。

そんなある日、2章「身体スイッチ」で詳しく書いていますが、私は主治医の「大腸を全摘して、お腹に袋をつける手術をしましょう」という言葉で、もう逃げられない、と自分の本音と向き合うことになりました。この言葉をきっかけに「周りの目なんて気にしていられない！　好きなことだけして生きていくんだ！」と、固く決意し、行動を始めました。

そのひとつが「立場のレッテルをはがす」でした。寺の人らしからぬ、明るい髪色に、明るい服装に、バッチリメイク！　多くの女性が普通に楽しんでいるカフェに行き、自撮りをしたり、それをSNSに投稿しました。我慢することをやめ、自分がしたいことを次々に自分に許可しました。もちろん「お寺の人がそんなことしていいのですか？」といった非難の声もありましたが、本気は何より強いもので「寺の嫁である前に、私はひとりの人間」「どうして寺の嫁だと、いけないの？」「普通って何？あなたの普通は世間の非常識かもよ？」と思っていました。非難する人も、よく分からない世間体という正義を振りかざしているだけで根拠は無かったりします。正義は他者に振りかざすものではなく、自分の生き方に対し、自分が正義を貫けばいいだけのこと。たった一度きりの人生を、よく知らない人の声に振り回されなくて良いのです。

周りを気にするあまり、自分の行動が不自由になるなんて、まったくの無駄です。

自分や、自分の大切な人が楽しく、心豊かに感じる生き方をすれば良いだけです。人の顔色を気にしたり、何かの役割を演じる必要はありません。

世間のつくった、母親レッテルも、嫁レッテルも、娘レッテルも、年齢レッテルも、職業レッテルも、いつの時代に、いったい誰がつくったんでしょう。みんな同じように生きられるわけがありません。あなたは、あなたにしかなれないのです。外側の声に惑わされることなく、あなた自身が「素敵!」「いいな!」と感じる物を手にとり、選ぶようにしてみましょう。

ルールは「自分が笑顔になる」こと

朝、洋服を選ぶ時に「何だか、しっくりこないな」と脱ぎ捨てた洋服の山をつくったことはありませんか?　その感覚、大切にしてくださいね。洋服は自分の感性とつながっています。その感性と一致していないと、しっくりこないのです。感性をさらけ出して洋服を着ている人は、どんなジャンルの洋服でもカッコよく着こなしていると感じます。ミニスカートでもショートパンツでも、きらびやかな服でも、真っ白でも、古着でも。どんな洋服であっても、今、あなたが着たい物を堂々と着てしまえば良いのです。自分を思う存分、楽しませてあげましょう。大丈夫です！　私の周りには、50代でも60代でも背筋をピンと伸ばして、個性的なスタイルで颯爽（さっそう）と歩く女性が多くいます。その姿はカッコ良く色気もあり、かわいらしさもあり、憧れを抱きます。周りと違っていてもいいのです。

世の中のレッテルを採用するよりも、自分の気持ちに寄り添って、自分のひらめきを大切にして、自分が引き立つ物を選んでみましょう。あなたらしくあればあるほど、魅力的に見えるもの。洋服は、あなたの感情を着ているようなものなのです。

洋服選びはパートナー選びだと思う

よくクローゼットにたくさんの洋服があるにもかかわらず「着て行く服が無い」と嘆く女性は多いのですが、それは「安かったから」「著名人が着ていたから」と、何となく選んだ洋服が多いからです。適当に選んだ洋服だと、適当な自分に仕上がってしまうのです。

私の友人に部屋着も外出着も、その人らしくて自分スタイルがキマっているカッコいい人がいます。洋服屋さんで働いているので、さぞかしたくさんの洋服をもっているのだろうと「いつも、どこで洋服を買うの?」と、尋ねてみたことがありました。すると「もう数年間、新しく買っていない」と言うではありませんか！ いつもこんなにもおしゃれなのに? と思いましたが、よくよく話を聴いてみると、その洋服をつくったデザイナーの想いに感銘を受けたり、自分と深く共感したものを選んでいるそうで、その上で着心地の良さや自分に似合う形を、何度も試着を繰り返し、吟味して選ぶそうです。洋服の手入れも、シャンとお日さまの下で干し、靴も定期的に磨きあげ、本当に丁寧に丁寧に扱っていました。たしかに、そこまで洋服をこだわって選べば、すぐに飽きたりしませんよね。思い入れが強い物ほど、人は大切にします。着古して馴染んだ洋服と、磨かれた靴。まるで自分の身体の一部のように、こなれた感じで洋服を着こなす友人を見るたびに「物を愛する姿勢」も「生き方」も、カッコいいな！ と思います。

洋服選びは、結婚と同じ！ あなたのベストパートナー選びです。しっかり吟味して選んでみましょう。ずっと大切にしたくなる洋服を探して、丁寧に手入れをしながら愛し続けてあげてくださいね。あなたの毎日の過ごし方まで自然と変わってきますよ。

実際に私も、四畳半のウォークイン・クローゼットに洋服がいっぱいでした。中身を把握しきれず、ぎゅうぎゅう詰めで、棚にしまっていてもシワになるため、着る時にアイロンをかける始末。するとその手間が億劫になり、朝からため息……。多すぎる洋服を大切に扱えていませんでした。

洋服も人も同じで多すぎたら把握できず、付き合いが疎かになってしまうことを実感しました。それ以来「今、自分にしっくりくる、毎日でも着ていたい物だけ」を残すようにしました。洋服は自分の「今を感じる」物だと思います。そして「何を選び、どう着るか」は、まるで「何を選び、どう生きるか」と問われているように感じてしまうのです。

洋服を減らすことができたルール

いつもシンプルな友人の洋服事情を知りたくて家に伺ったことがありました。この友人、自分のことを良く把握していてカッコいいのです。さっそく扉を開けると「え?　ここはモデルルーム?」と思うほど物がありません。ティッシュの箱すらテレビ台の引き出しの中にしまわれていて、使う時に引き出しを開けて使うほど!　1畳のクローゼットの中はと言うと、余裕がたっぷり!　「ここにあるもの、しっかり全部使っています」「1年着なかった物は、絶対に着ないから手放します」と言われていました。自分の持ち物に対してルールをもっているのが印象的でした。

洋服をたくさん購入していた私ですが、自分でルールを決めてからは一畳のクローゼットに年間の洋服が収まるようになりました。どんなルールか、マイルールを紹介しておきますね。

① 買い物をする時は、時間をかけて、しっかり試着をして納得できる物だけを買う。

② ひとつ手放してから、ひとつ買う。

③ 季節が変わる頃、その季節に着なかった物は、すべて手放す。
④ 自分の定番スタイルをつくる。

時々衝動買いもしてしまいますが、それも随分と減りました。それは「ロングワンピースにドクターマーチンの靴」という自分の定番を決めているからです。時が経ち気持ちが変われば、それも変化するでしょうが、シルエットが浮かぶほど自分のスタイルが確立してくると、買い足すのは小物と、くたびれた物を買い換えるだけになります。定番にエッジを効かせたいからヴィンテージをチェックしよう！　そんな風に遊び心をもてるようになります。アンティークボタンに付け替えて楽しむ！　など、ひと手間を加えてみるのも、おもしろいです。

帽子や靴、下着や部屋着も同様、買い換える時に納得のいく物を選んでいきましょう。ゆっくり、ゆったり、焦らずに、クローゼットの扉をあけた時に、ずっと眺めていたくなるような、あなただけのとっておきをつくっていきましょう。そうするうちに、クローゼットの中に香りを忍ばせてみよう！　と、お香やアロマに興味をもったり、ますます暮らしが楽しく豊かになります。たかが洋服、されど洋服。服で行動は変わります。出かける場所も変わります。前向きになって、出会いが増えたり、笑顔が増えたり、自信にもつながります。

色と心はつながっていた出来事

朝、洋服を選ぶ時に「この色しんどいな」と感じたり、春にはパステルカラーの洋服を着たくなったりしませんか？　選ぶ色というのは実は心の状態を無意識に表していることが多く、心理学では、それを「気分一致効果」と呼んでいます。

ある時、私は肌の色から似合う色を探す「カラー診断」を受けたことがありました。この診断を受けて以来「この色を着ると、顔に影ができやすいから老けて見える」「この色は顔が膨張して太って見える」と診断結果が気になってしまい、私は「似合わない」と判定された色を着られなくなりました。確実に一番肌が明るく見え、若く見える「似合う色」だけを選ぶようになり、いつのまにか「カラー診断という決められた枠」に自分を当てはめるようになっていきました。引き立つ色を身につけている安心感や自信はあるけれど「洋服を選ぶ楽しみ」が減り、好きだったはずの洋服選びも、自分にとって正解か、不正解というだけになり、つまらないものになっていきました。なぜ、そんな気持ちになるのか考えたところ「自分の心の状態を、その色に無理やり合わせているから」だと気づきました。

服の色は、人に与える印象を変える一方、着ている人自身の気分にも大きく影響を与えてしまいます。人は色を一番に認識し、色に対する感覚やイメージをもっているので、悲しい出来事があった時に、いくら似合う色でもピンクや黄色は着たくなくなります。気分が沈んでいる時と、元気な時とでは、色選びも変わる場合が多いのです。その心を無視して「私はこの似合う色しか着ない」と決めつけてしまうと、苦しいルールで自分を縛っているようなものです。「自分の気持ち」と「色」を一致させてあげる感覚、大切にしてみると良いかもしれません。

色が表す心理を意識すると「あえて、この色を取り入れよう！」と、気分の切り替えも可能になります。「色のもつ意味」と検索をかけてみてください。たくさん色についても知ることができます。ファッションは、心を映す鏡。意識せず選んだ色に意味があるなんて、おもしろいですよね。

コスプレ級のカラフルな洋服を着てみた

ある時、私は「黒やグレーやベージュなどの無難な色は着ない」「黒は病んでいる人が着る色」という洋服のアドバイスを受けたことがありました。この考えを取り入れた私の装いは、頭の先から足先まで全身赤や黄色やピンクのカラフルな服を着ている状態。ともすれば、ピエロのような、毎日ハロウィンのような格好です。何だか賑やかで楽しいけれど、世間で言う「かなり、ぶっ飛んだ人」だったかもしれませんね。

最初は「こんな色を着てもいいの?」「こんな柄と柄を合わせていいの?」「そんな肌を見せていいの?」と驚くことばかりでした。自分の固定観念が崩れていくようでした。「こんな自分もあるのか」「こんな生き方もあるのか」と、自分の可能性が広がるようにも感じ、コスプレのようなとてもおもしろい体験をしました。しかし、それを続けているうちに「何だか、私じゃない私を生きているような気がする」という感覚に陥りました。どういうことかというと、暗い色の服を着るような、元気の無い、負の自分はダメな存在で、常に元気で明るい服を着た、笑顔の私だけをオッケーとするという感覚。それもまた、自分を「元気で明るい私という枠」に当てはめているものだと気づいたのです。

そして、この経験から「黒ほどいろんな色の要素を含んだ色はない」と感じています。黒は、あなたのニュートラルな姿を表現してくれ、着る人によって、いろんな印象に変わります。カッコ良くも見え、可愛くも見え、毒があるようにも見え、威厳があるようにも見え、おとなしくも見え、その人の個性を一番引き出す色だと思います。

私の本業は画家ですが、絵の具で黒をつくる時、赤、黄、青を同量混ぜたり、青と橙、赤と緑、黄と紫といった補色を混ぜてつくります。つまり、どの色をピックアップしても補色を混ぜれば黒になるのだから、黒はどの色の要素ももち合わせているというわけです。あなたは、どんな黒の要素を引き出して、洋服を楽しみますか？

カラーセラピストの資格を取ってみた

色の効果効能に興味があった私は、カラーセラピストの資格を取りました。今の気分の色をお客さん自身に選んでもらい、その心理的な意味を伝え「自分はこんな風に思っているのか！」という深層心理に気づいてもらい、自己認識、自己受容してもらうセッションです。私自身、この学びから全身チカチカした派手な洋服を着ていた時は「無理にでも、頑張って楽しもう！」と常に精神的にオンの状態だったことや、全身真っ白の洋服を着ていた時は「完璧主義でいたい！」という思いが強かったのかなど、自分では気づかない自分を、色から知ることができました。

最近では、色のもつテンションを利用して、元気のない時に明るい色を着て、色の力をもらったり、ニュートラルでいたい時はモノトーンにしたり、主張したい時はビビッドな色を着たりしています。あくまで気持ち重視での服選びをしますが「ここぞ！」という仕事を決めたい時などは、堅実で信頼感が増すネイビーを取り入れたり、色の効果を使います。洋服だけでなく部屋のカーテンや寝具なども、色が人に与える印象を利用して選ぶと良いかもしれませんね。

こうして、洋服の色にまつわる様々な経験を経て、ようやくオンでもオフでもない自然体の、ニュートラルな自分が分かってきて、誰の真似でもなく、本当に自分が今着たいものを選ぶ楽しさを知りました。何色を着てもいいし、値段も素材もブランドも関係ない。自分が「これがいい！」と思ったものを組み合わせるだけ。それが私。これが私。大切なのは、自分の気持ち。いつだって自分が自分の一番の理解者であろう！　と思いました。

生き方がファッションに表れます。あなたは、どんな洋服を選び、どんな風に着ますか？

洋服の手入れをし、靴を磨いてみた

人を大切にすると、その人が満たされるように、物を大切にすると、その物が満たされるようです。良く手入れのいき届いた物を身につけている人が放つ雰囲気って想像できますか？

学生の頃、シンプルな装いの友人がいました。高価な服を着ているわけではないのですが、とても美しく感じるのです。よくよく観察してみると、洋服や物を、とても丁寧に扱っていました。きっとご自宅でも、丁寧に洗濯し、丁寧にたたみ、丁寧にアイロンをしているのだと感じました。洋服から、その人の暮らしが垣間見えるのだと感じた瞬間でした。いくら高価な物を身につけていても、ポイっとそのへんに、だらしなく置いた洋服で大切にされていなければ、それは着ている姿から、何となく伝わってくるものです。大切に愛された物が、その想いに応えてくれるというのは、私も体験したことがあります。

　中学生の頃、８００円でとてもかわいい靴を手に入れたことがありました。素材も良い物では無かったかもしれませんが、あまりに気に入っていたので、よく磨いて大切に大切に扱っていました。大学生になって、その靴をはいていると「すごく高そう！」「いい靴だね！」と、よく声をかけられましたが、激安の10年以上も昔の靴です。さすがに底がはがれて修理もできない状態になり手放しましたが、今でも10年以上はき続けている靴やブーツは深いツヤがあり、その物に貫禄があり、堂々として誇らしげです。物を大切にすると、その物は身につける人を守ってくれるように感じます。人も物も同じ。洋服や靴のお手入れを楽しんでみてくださいね。

浴衣や着物を日常に取り入れてみた

アンティーク着物ブームが起こった時に「昔の日本人は毎日着ていたのだから、ひとりで着るのは簡単なはず！」と、着付けを習得しました。着付け教室というと、ハードルが高いように感じますが、一度知ってしまえば洋服より楽しいかもしれません。あなたの日常に和装を取り入れてみてはいかがですか？　昔ほどルールは堅苦しくなく、季節に何を着るかも曖昧になっています。素材もとても豊富で、冬にはコーデュロイの帯、フリース素材の足袋、洋服兼用のコートもあります。夏にはレースの足袋や羽織、洗える涼しい着物なんて、あたりまえ。洋服と変わらない値段でオーダーもできるほどです。帯留めや、帯締め、根付けなどは、アクセサリーと同じ感覚で楽しめます。ほんの少し変えるだけで、随分と印象が変わるのが着物の良さです。また、なんといっても着物には、物語や意味をもたせて着るという楽しみもあります。

例えば、黒地に白い水玉柄の着物に、街並みの絵柄の帯を合わせると「雪の降る夜の街」に見立てることができます。子猫が遊ぶ絵柄の着物なら、帯締めを2色使ってカラフルな紐で遊んでいるように見せて、帯留めをボールにしてみるなど、自由な発想でいくらでも楽しめるのが着物の世界です。チロリアンテープで半襟をつくったり、使わなくなったスカーフを帯揚げにしてみたり、工夫次第でいくらでも遊べます。少しずつお気に入りを揃えて、草履や日傘などトータルコーディネートを楽しんでみると良いかもしれませんね。

興味はあるけれど、やはりハードルが高い！　と感じる場合は「お風呂上がりに浴衣」から始めて、旅館気分を味わってみるのも良いですね！　着物や浴衣を着ているだけで、男性が親切という不思議な現象にも遭遇しますよ。

着物姿。帯でも楽しさを盛り込みました。

▲ 帯留めのコレクション

衣スイッチのまとめ

★自分に貼ったレッテルをはがそう
★自分が本当に着たい物を身につけよう
★洋服選びは結婚と同じ。何を選び、どう着るか
★自分の定番をつくってみる
★クローゼットの中をお気に入りにしよう
★自分の今の気持ちに合う色を身につけよう
★洋服の手入れ、靴磨きをしよう
★和装を取り入れてみよう

第5章

住スイッチをオン！

部屋にすきま、空白、
余白をつくろう

◁◁◁ 空白の中に、片手に持てるだけの好きなものを

住スイッチを入れるための
あなたにピッタリの行動診断！

当てはまるものはいくつ？

① 自分の持ち物を探すことなく、すぐに取り出せる
② 毎朝ベッドを整えてから出かけるようにしている
③ お花を飾るようにしている
④ 定期的に部屋にある物の見直しをしている
⑤ 自分を映す鏡が汚れていたら気になる

◆3〜5個
不要な物が無く、スッキリと整理された心地の良い部屋をつくることができています。鏡や窓を、こまめに拭くようにすると、より気持ちが整い、思考もシンプルになりますよ！

◆0〜2個
物を減らしていきましょう。今、あなたが使っている物だけを、大切に磨いて使ってあげましょう。使わない物は手放しましょう。あなた自身が大切にされるようになりますよ。

汚部屋の清掃に行って気づいたこと

ある時期私は、特技の「整理整頓」を活かして、アーティスト業の傍ら「汚部屋を片付ける」というアルバイトを数回してみたことがありました。

ご依頼者さんの部屋を訪ね、開かずの扉を開けると、薄暗い部屋に段ボールの山が積み重なっていました。「何が入っているのですか?」と尋ねると「分かりません」と返ってきました。「こちらのケースの中身は分かりますか?」と尋ねると「兄のもち物なので分からないです」と、一緒に住まわれていないご兄弟の荷物をたくさん抱えていらっしゃいました。

これを心の中のことに例えると「自分の気持ちが分からない」「他人の荷物を抱えている」という状態です。何人かの方の部屋を片付けて思うことは「部屋の状態は、その人の生き方」だということです。

また別の方で、何でも人の物を預かりたがり、何でも捨てずに物を取っておくAさんの部屋を訪ねたことがありました。もちろん、部屋は物がパンパンにあふれ返っていました。

Aさんに「人のことより、もっと自分のことを先にしてみてください！　自分を優先してください！　自分を大切に」とお伝えしましたが、決まってAさんは「忙しいから、自分のことをする時間が無い」と言い、自ら問題がありそうなところに顔をつっこみ、他人の悩みを聴いて、それを抱えて悩み、かまってほしい依存者の周りに自分の身を投じていました。その無意識の行動に本人は気づいていないようでした。私には、そのAさんの姿が、自分の抱える問題と向き合うのを避け続けるために、他人の問題を解決することに忙しくしているように見えました。

誰かの世話を焼く暇があるなら、もっと自分のやりたいことをすれば良いのですが、当時のAさんは「自分の問題と向き合うより、他人の問題に取り組み、必要とされることを実感しながら、誰かと一緒にいたい」という願いがあったのかな？　と思います。

本当に、たった一度きりの人生。自分を一生懸命生きていれば、他人にかまっている時間が無いほど、毎日大忙しのはずなのです。

部屋は、その方の人生そのものです。自分の心の内は、部屋を見れば分かるのです。

探し物の人生になっていませんか？

今からあなたに質問をします。

「ホッチキスと油性ペンを取り出してください！」

今すぐ場所が分かりますか？ また「綿棒と消毒液をもってきてください！」と言われたら、1分以内に用意できますか？ そんな風に、どこに何を置いているのか、物の住所を決め、把握できていますか？

私の知り合いに、書類の山に埋もれて過ごしている方がいるのですが「あれが無い、これが無い」と、部屋の中を30分も1時間も探し回っている姿を見かけます。ひどい時には2時間ほどかかって、ようやく発見していました。その方にとって、それが日常だから気にもならないようでしたが、よくよく考えてみてください。ものすごく時間がもったいないと感じませんか？ もし、日にトータル30分探し物をしたとすると、一年で180時間も探し物をしていることになります。もし、あなたの残りの人生が40年としたら、約300日間、24時間ずっと何かを探していることになるんです！

ほぼ一年間、不眠不休で探し物をしている……と考えたら恐ろしいですよね。物の住所を決めていたら、探し物をすることはありません。「死ぬまでの間の約300日間」を有意義に過ごせるわけです。そして、不要な物を置いているスペースの家賃を払うこともなく、心から気持ちよく過ごせるのです。

私も絵の制作をしていると、そこかしこが画材だらけで部屋が散らかっていきます。夢中になっているのかもしれませんが、制作が終わると一度すべて元の場所に戻します。探し物に人生の時間を使いたくはないのです。それは自分を見失うことだと感じているからです。

好きな物に囲まれて暮らすより、まず空白だった！

私は本や雑貨が大好きで、私の部屋は散らかっていないけれど、少しずつ集めた「お気に入りのかわいい物」で飽和状態。雑貨屋さんかと思うような部屋でした。

よく「好きな物に囲まれて過ごそう」なんてアドバイスがあります。でもそれは自分を後回しにしすぎて「自分の好き」が分からなくなってしまった人には有効ですが「自分の好き」が分かるなら、それよりも大切なことがあります。それは「すきま」や「余白」といった空間をつくることです。

生き方と同じで、大好きな物でも、両手にめいっぱい抱えていると動けなくなります。序章にも書いた重い病気で、私は実際動けず引きこもらざるえない毎日でしたが、試しに部屋の物を減らしてみることにしました。すると「心にも部屋にも余裕」ができ、体調が整い始めました。部屋の整理整頓は、心と身体が元気になったひとつの要因だと感じます。部屋は「心の鏡」「心のバロメーター」です。

『整理整頓』の深〜い意味

『整理整頓』って、何となく「片付ける」ことだと思っている方が多いと思いますが、しっかり調べてみて驚いたことがあります。

「整理」の「理」には、物事の筋道、もっともなこと、道理、という意味があり、それらを整えるのが「整理」なわけですが、他にも「理」には「宇宙の本体」という意味がありました。つまり「整理」には「宇宙の本体」を整えるような意味があるようです。

そして「整頓」の「頓」には、時を移さずその場で、立ちどころに、といった「すぐに整える」という意味があります。それ以外に「頓」には、仏教で修行の階梯（かいてい）を経ず、ただちに悟りを開くという意味がありました。

そう考えると『整理整頓』って、ただ表面的に素早く筋道を整えるということだけでなく、心の中や、宇宙そのもの、空間そのものを整えるというような意味があるように感じませんか？

『整理整頓』って、意外と壮大なことのような気がしてなりません。

物を粗末に扱う人の人生に起こること

普段、鏡や窓を磨いたり、靴や洋服を手入れしていた一般家庭で育った20代の女性が、経済力のある家庭に嫁ぎ、欲しい物を不自由無く、すぐに何でも手に入れることができるようになりました。

次第にその女性は「物を直す」「物を磨く」という手間を「新しい物を買う」という行為で補い、不要になればすぐに捨てるようになりました。「物との関わりが希薄」になるにつれ、そこで生まれるはずの手間がなくなり、ひいては人との会話まで減って「人とのコミュニケーション」も希薄になっていき、心の病に陥った、という話をしますね。

洋服。靴。かばん。雑貨。欲しい物を買っては、使わずに放置を繰り返し、気がついたら買い物依存症気味になっていた女性は、買ってしまうと興味が無くなり、部屋に物があふれ返って、どうにかしたいけれど買わずにはいられない……、その状態に苦しんでいました。これは、買い物をすることによって寂しさを紛らわしていたり、満たされない気持ちを「買う」という行為で一瞬満たしていたのです。

ある時、この女性は、ホコリをかぶった服や靴を見て「ただの飾りだ。まるで自分のようだ」と感じ、悲しくなったそうです。「自分は家庭の中のただの飾りで、ほったらかされている」と感じていたそうです。

それから、この女性は、磨いたり手入れができるだけの量にまで、物を減らしていきました。コツコツ一年かけて、物を減らしながら、大切に扱うように変化していきました。そうすることによって、自分自身が物を粗末にしていたことに気がつきました。「昔は、あたりまえにしていたことなのに」と、その記憶を取り戻し、昔のように修理したり磨いたり、干したり、物が「気持ちいい！」と感じるであろうことを、物にほどこすようになりました。

「お金」があることで「すぐ物を買う」という手軽さに走り「不要なら捨てるだけ」「また買えばいい」という思考から「物を大切にできない」ようになり、結果「自分も周りから大切にされない」ことにつながっていたのだと感じたようです。

それからというもの、女性は物に手をかけ大切に扱うようになり、捨てられてしまうような物にも新しい命を与えていこう！　と、廃棄物をアートに変える作品をたくさん生み出しています。そして、家族からもアート活動を応援されています。「自分の物への対応は、他者の自分への対応」だと感じているそうで、でき上がった物を買う以上に「自分で手を動かしてつくる喜び」「リサイクルやリメイクするおもしろさ」など「過程を楽しむことが大切」だと実感しているそうです。……実は、これは私の実話です。

▲ お寺の廃棄ろうそくと廃棄瓦で作った作品

今、あなたが使っている物を、大切に磨いて修理したり手入れしながら使ってみましょう。あなた自身が同じように周りから大切にされるようになりますよ。

物減らしの心構えは、ズバリ、これ！

簡単に言ってしまえば「引っ越しする」と思って物を片付けていくと、わりと物は減らすことができます。ダンボールが多いほど梱包も大変なわけですから、極力、物を減らしたいのが引っ越しです。

以前、引っ越しのために、大切で必要だと思う物を、どんどんダンボールに詰めていきながら生活していたことがありました。でも、数日経つと、どのダンボールに何を入れたのかも忘れてしまい、何の不便もなく生活を送れたことがあります。つまり、ダンボールの中身は、私にとって、たいして必要な物では無かったということです。

とはいえ、引っ越しする気持ちでどんどん物を片付けるのは難しいと思うので、私がゆっくり物を減らすことに成功したお話をしますね。

物、相手、自分が幸せな物の減らし方

「いろんな物が、居心地良さそうに、楽しそうにしている部屋」をつくるには、あなたの心に、いろんな興味があって楽しく過ごしていることが大切です。

無理やり物を捨てる必要もないし、頑張って物を減らさなくても、あなたがその物を手にした時に「あたたかさを感じたり、幸せな気持ちになる」ことの方が、よっぽど大事で心に優しいです。

昔は大切に感じていても今はなんか違うかも？　と思う物が出てきませんか？　特に本などは数年経つと、買った当時には新鮮で必要な情報ばかりであっても、賞味期限が切れてしまいます。私は本を買って、2～3日中にフリマサイトに出品します。そうでもしないと「読もうと思っていたけど忙しくて読む時間が無かった！」と読まずに終わることが多いと気がついたからです。時が経って読めば味わいが違うという意見もあると思いますが、古本屋やネットを駆使すれば、手放した本もすぐに手に入る時代です。物を残すポイントは「今のあなたと合っているか」「これからの私に合いそうか」です。自分に問いかけてみましょう。

私が物を減らすことに罪悪感が無くなったのは、使わなくなった物をフリマサイトに投稿していた時「これ、ずっと探していたんです！　本当にありがとうございます」と感謝のメッセージが届いたことがきっかけです。私にとって不要な物が、別の方の元で、こんなにも喜ばれることを知り、物が幸せになる！　と晴れ晴れとした気持ちになりました。活用しきれていないのなら、本当に大切にしてくれる方の元へお譲りすれば、三方良し！　物も、相手も、自分も幸せです。

物も生きています。だから物が寂しくないように素敵な方にバトンタッチしましょう。

整理整頓をしたら掃除がしたくなる

自分のお気に入りの物を部屋に飾りましょう！　とよく言われますが、これは物が厳選され片付いている部屋の人には良いと思いますが「いる、いらない」の整理整頓ができていない状態で飾ろうとすると、部屋が混沌としてしまいます。それは、まるで、汚れた浴槽を洗わず湯をためるような、お手入れしていない肌にいきなり美容液を塗りたくるような……そんな感じです。

やはり順序は大事です。

まずは、物を楽しみながら減らしましょう。「今日20個物を減らそう！」「今日、この引き出しだけ片付けよう！」「毎日1個ずつフリマサイトに出品しよう！」……そうしていくうちに、必ず自分の「好きでたまらない」が見えてきます。そして心地良くなり、整理が楽しくなっていきます。

部屋の物が減ってきた頃に、なんだか部屋の汚れが目につくようになります。窓を磨いたり、ランプのホコリをとったり、床をメンテナンスしたり、拭き掃除をしたり、気持ちに変化が起きます。そうなったら、感じるままに、鏡、ヤカン、鍋……、磨ける物をどんどん磨いていきましょう！　そして、軽やかな気持ちになるのが「カーテンの洗濯」です。私は自宅で洗えるリネンのカーテンを洗濯機に放り込みジャブジャブ洗います。後は濡れたままのカーテンをかけて乾かすだけ！　部屋の中で面積の大きいカーテンが明るくなるだけで、心の中もスッキリします！

お金をかけなくても、あなたの部屋はいくらでも素敵に生まれ変わりますよ。布団も晴れた日にベランダで干すと、眠る時におひさまの匂いがして、それだけで気持ちが良いものです。フワフワの布団ならベッドメイキングするのも楽しみになります。

家にある洗える物は洗って、太陽のもとで干してみましょう！　ぬいぐるみも、クッションカバーも、シーツも。想像以上にスッキリしますよ。

季節のしつらえで飾ってみた

部屋の整理整頓をしていくうちに、物に「ありがとう」という気持ちが芽生えます。そして、花を飾ろう！　花を育てよう！　と少しずつ心に暮らしを楽しむ余裕が生まれます。そのあたりに生えている小さな花を咲かせる雑草ですら、可愛い小瓶にいれて飾ると、素朴でほっとした空間をつくることができます。スッキリした部屋だからこそ、小さなしつらえが映えるのです。外国の紅茶の空き缶に、庭で育てたハーブを飾るのも、すごくおしゃれに見えます。

私はいつも玄関に、自分や家族のつくった物、作家さんの作品などで季節のしつらえをするのですが、とても楽しいものです。あまり深いことは考えずに「かわいいな!」「素敵だな!」「おもしろいな!」と感じる作品や花を飾るだけで、玄関の扉を開けるたびに嬉しくなりますよ。

何年もかけて、少しずつ集めた季節の雑貨や作品は、心のゆとりをもたらしてくれます。四季折々、日本の素晴らしいところを味わってみましょう。

4月は花祭り、5月は鯉のぼり
6月はてるてる坊主と水たまり
7月は七夕、8月は妖怪
9月はお月見、10月はハロウィン
11月は収穫祭、12月はクリスマス
1月はお正月、2月は節分
そして3月は雛祭り……。

自分の落ち着く景色をつくる

　私は、ソファにキルトをかけたり、ウールのひざかけを用意したりする冬じたくが好きです。やぶれていたら、可愛い端切れでパッチワークをするなど、年々、時を重ねて素敵に変化する生活雑貨が愛おしく、そんなしつらえが心温まります。ストーブの上にヤカンを置くような景色も、心休まると感じます。あなたは、どんな景色が落ち着きますか?

　また、旅先で買った物や写真を飾るのもおすすめです。視界に入るたびに、その時の楽しい時間を思い出し、タイムスリップできます。気分まで若返るというものです。

　心豊かな暮らしを送っていても、心に変化が起きると気分転換したくなるもの。そんな時は、思いきって部屋の模様替えをしたり、家具にペイントしたり、観葉植物をお迎えしたり、楽しめる工夫をしてみましょう。

　そして、雑貨をたくさん飾るのも素敵な空間が生まれますが、シンプルな自分らしい部屋を目指しているのなら「これは!」と思うお気に入りの「絵画」をひとつ部屋に飾ってみましょう。一気に部屋の空気が決まります。私は自分の絵だけでなく、お気に入りの画家さんの絵を各部屋に飾っていますが、作品のもつ空気感が部屋に漂い、とても満足な気持ちになります。

私の作品をお求めくださった方からも「絵が視界に入るたびに癒されます」「部屋の空気が変わり元気になりました」「私の運命の絵だと感じています」と、親が子を大切にするように作品を愛してくださっていることが伝わります。日本では、まだまだ軽視されがちな美術品や絵画ですが、心が豊かになる素晴らしさを知っている方々は、こうして絵画を取り入れた心やすらぐ暮らしをされているようです。あなたも暮らしにアートを取り入れてみませんか？

住スイッチのまとめ

★部屋の状態は、その人の生き方を表している
★物の住所を決めよう
★「すきま」や「余白」といった、空間をつくろう
★物を修理したり磨いたりしてみよう
★結果より、過程を楽しもう
★物を手放す時「これからの私に合いそうか」と自問自答しよう
★整理整頓していると掃除がしたくなる
★季節を味わう飾り付けをしてみよう
★部屋に気に入った絵を飾ってみよう

日向（ひなた）を追い求めて、
家中をウロウロする猫の姿が、
私と同じ。
あたたかいのが好き。

第6章

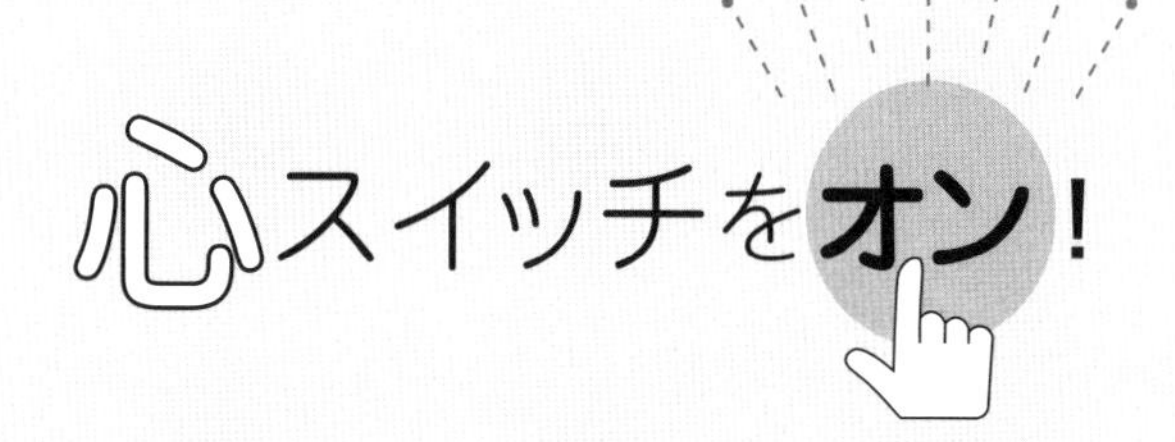

人は笑うために生まれてきた

心スイッチを入れるためのあなたにピッタリの行動診断！

当てはまるものはいくつ？

①世間体は気にならない
②すぐに行動に移すことができる
③自分のために時間やお金をかけている
④「助けて」と誰かに頼ることができる
⑤「ありがとう」が素直に言える

◆3～5個

自分を既にしっかり満たせています。行動をする際に自分だけでなく、周りの人にとっても喜びになることを心がけると、より幸福な気持ちを、みんなと共に味わうことができますよ。

◆0～2個

自分の本音を感じて「そう思っている自分」を認め、できる範囲で「本当はこうしたい」を行動に移す練習をしましょう。ひとつできたら、自分を「よくやった！」とほめてあげましょう。低いハードルを何度も飛び越えることが自信につながるコツです。

心の操縦の根っこは3つだけ

しなやかな心を育て、不平不満を感じることが減り、ご機嫌でいられる心の操縦方法は、無数にあるのですが、心のスイッチをオンにすることができた、とても大事な3つのことをお伝えします。

I　アダルトチルドレンだと知った

まずひとつ目は「親との関係性を客観視する」です。

私たちは親に育てられ、親の価値観の中で過ごすので、当然それしか知りません。そのため、「親の行動、考え方が正しい姿」として映るので、それ以外の行動や考えに出合った時に驚いたり、否定したりしがちです。あなたにとって、どんなに素晴らしい親でも、一度はその在り方を疑って、それ以外の価値観を知ると、人生が変わるかもしれません。

私は23歳の頃、指定難病が重症化し3カ月入院していたことがありました。すっかり4人部屋の主となった私はあることに気づきました。1、2週間で退院する人は「早く家に帰りたい」と言うのに対し、それ以上の期間入院している人は全員「帰りたくない」と言い、家族の不平不満を話しており、家庭環境に問題があるように感じました。

……ということは「一番長期入院している私が、一番家庭に問題があるのかも？」と驚いたことを今でも忘れません。ちゃんと育ててもらい、優等生で過ごしてきたはずなのに、なぜ？　と思いましたが、このことをきっかけに、人生で初めて「自分を知ろうとする」ことを私はしたのでした。

数百冊の心理学の本を読みあさり、私はアダルトチルドレンだということを知りました。親の期待に応えて一生懸命生きている自分だということを知りました。それが反抗期として外に向かう形ではなく、私の場合は、自分の内に、自分を攻撃する形で現れました。だから、細胞レベルで自分を攻撃する免疫不全の難病になったのですね。

このことに気づいた時に、親を責めるのではなく、その事実を伝えました。そして私は、親の求める娘という人形の服を脱ぎ捨て「本当に私がしたいこと」「本当の私が思うこと」を大切にし始めました。その結果、親の不平不満を無意識にもらしていたらしいのですが、それも無くなり、幼少期からあった喘息もピタリと止みました。親との依存関係から脱却したのでした。

もしあなたの周りに「昔こんなことがあって、親がその時にこんな対応しかしてくれなかった」と似たような内容で親への愚痴を繰り返しこぼす方がいたら、依存関係にあると思います。親の行動や考え方を客観視してみたり、親元をはなれてみるのもひとつの方法です。あなたの親も人です。絶対の価値観は無いのです。

Ⅱ　お腹の奥底の本音を生きてみた

ふたつ目は「自分のことを知る」「自分で考える」です。

今まで選んできたすべてのことが「親が喜ぶかどうか」という判断だけだったので、私は知らずに「親が好きなものは私も好み」「親が否定するものは私も嫌い」が自然に身についていました。本当の私が「好きな色」「好きな音楽」「好きな服装」何もかも分かりませんでした。なぜなら自分のことを考えたことがなかったからです。私が一番、私のことを知らなかったのです。親に尋ねないと、どう生きたら良いのか、何を選べば良いのか分からないのです。自分と違う自分を生きていたから、何となく「生きにくい」と感じていたものの、自分の生き方を疑いもしませんでした。

長期入院での気づきから、私は親の意見や世間の声で自分の行動を左右していたことをやめ、「本当は自分はどう思ったのか」「本当は自分はどうしたいのか」を一番大切にすることにしました。そして、その気持ちを「即、行動に移す」ことをしました。些細なことでも、自分の声をくみ取りました。それは、まるで母親が赤ちゃんをあやすかのように、私は、私の声をくみ取り、それを行動に移す……を繰り返しました。「お腹すいたね。何食べたい？」「あそこに行きたいね！　よし！　行こう！」

自分の想いに素直に生きることに、最初は罪悪感が生まれたり、怖いと感じるかもしれませんが、自分の本当の気持ちを分かってあげられるのは自分だけです。自分の想いを叶えてあげると、自分のことを信じられるようになります。そして自信がつきます。

こんな風に生き始めると、必ず周りがざわつき、否定されますが、どうぞ気にせず、自分のすることに集中して、ただひたすら自分の道をまっすぐ進んでみましょう。そうすれば、あなたの周りは同じように生きている理解者ばかりになります。

もしあなたが、どう生きたらいいのかよく分からないのなら、こんな想像をしてみてください。もしあなたに子どもがいるのなら、もしくは将来生まれてくる子どもがいるとしましょう。その子どもに歩んで欲しい人生を、あなた自身が、今、歩みましょう。子どもは親を見て育ちます。無意識に、あなたと似たような人生を歩みます。あなたがお手本です。最高に幸せを感じて生きていきましょう！

側から見て、どんなに幸せそうに見える人であっても、悩みは大なり小なりあるものです。人間である限り、悩みが無くなることはありません。煩悩の数は百八つ、いえ、八万四千個あると言われています。お釈迦さまも言われていますが、生きている限り人は苦しみます。その苦しみとは、苦痛ではなく「思うがままにならないことを、思うがままにしようとして人は苦しむ」と言われています。私にも悩みがあります。それでも、その悩みを苦悩するのか、そうでなくするかは、自分次第です。では、苦しみを手放すには、どうすれば良いのでしょうか……。

私は子どもの時から努力家で優等生。頑張れば何でも思った通りの結果を出せると信じていました。勉強も運動も芸術も。できない人を見ては「努力していないから」と本気で思っていました。しかしある時、私は努力をしても思ったとおりの結果が出せない経験をしました。それが指定難病でした。どんなに努力をしても、病気は治りませんでした。頑張れば頑張るほど悪化することもありました。いつしか、頑張ることができないほど体力も気力も失いました。これが人生初めての苦悩でした。

何でもひとりで頑張ってきたのに、誰かに頼らないと生きていけませんでした。苦痛で屈辱でした。トイレも食事も着替えも誰かの手を借りなければいけません。思い通りに動けない自分の身体を恨みました。この、誰かに頼らざる得ない体験から、私は「心からのありがとう」という気持ちを感じ「おかげさまで」と感謝が溢れることを知りました。食事をいただけることにも、人がお手伝いくださることにも、手を合わせずにはいられなくなりました。ありがたい。ありがとう。おかげさまで。

死ぬことも、老いることも、病気になることも、そして、こうして生きることも、私たちの思い通りになりません。でも、なるようになります。おまかせしてみてください。流れのままに。

ひとりで生きているわけではありません。みんな、つながりの中を生きています。あなたも、私もつながっています。人と人と。動物、植物、虫、空、海、山、太陽、空気、細菌、そしてウイルスも。あらゆるすべてのつながりの中に人も生かされています。

周りを変えることは難しいけれど、あなたが変われば周りは自然と変わります。なぜなら、つながっているから。あなたがひとつ変わると周りもひとつ変わります。あなたが10変わると周りも10変わります。だから、目の前にいる人を、自分のことを愛するように思いやりをもって愛してみましょう。今日も一日おつかれさまと。きっと穏やかに過ごせることと思います。

頑張ることをやめてから

頑張って生きていた頃の学生時代の写真を見ると、笑っているはずの自分の顔がトゲトゲした雰囲気で目が笑っていません。「負けたくない！」「もっとこうしなきゃ！」と、必死なあまり、ひきつっているようにしか見えません。でも、病気をしたおかげで、少しずつ人に頼ったり、甘えたり、「助けて」と言えたり、おまかせすることができるようになると「ありがとう」が毎日の暮らしに増えました。すると、心の中に余裕が生まれ、身体中の力が抜け、やわらかな笑顔で過ごせるようになっていきました。

歳はとりましたが「こんなに素敵な笑顔の人いないよ」と言われるようになりました。それは頑張ることをやめたからです。頑張ると身体に力が入り、こわばり、重くなります。それはまるで、川底に沈んだ、流れに乗れない石のようです。

人生で頑張らないといけない時もありますが、肩の力を抜いて、普段どおりのあなたのままを過ごしてみましょう。そのままの姿を「好き」と言ってくれる人と過ごせば良いのです。頑張り続けていると、その頑張る姿だけを評価する人ばかりが周りに集まり、あなたが怠けると「そんな人だとは思わなかった」と言われ非難されます。

だから、ダサくて、不器用で、めんどうくさがりで、どうしようもない、あなたそのままの姿で生きてみましょう。それでもあなたを受け入れてくれる世界はありますよ。

私は自分のことを、ちゃんとした優等生だと思って頑張って生きていましたが、どうやらそれは大きな勘違い！　すっかり優等生をやめ、ダメなところを、そのまま出して、等身大で生きるようにしました。自分をさらけ出せば出すほど、周りに愛されるようになりました。「こうゆう人だから仕方ないよね」「そうゆうところが、かわいいよね」と、みんなが手伝ってくれるようになりました。頑張らないと愛してもらえないと思っていましたが、逆でした。

頑張るは「体を張る」という意味です。そんなことを、ずっと続けていたら、ピンと張った弦が切れて、私のように病気になります。もっと力を抜いて、しなやかに生きましょう。楽器の弦は張り過ぎず、ゆる過ぎない方が、良い音が鳴るのです。あなた、そのままを生きても大丈夫です。

そのことを、分かりやすく伝えたくて書いた詞「これから」を紹介します。7章「遊スイッチ」に書いたスタジオジブリのイベントでも歌った楽曲です。今、頑張っているあなたに届いて欲しいです。

「これから」　作詞・歌　Yutan　作曲・かさこ

両手に荷物をたくさん抱えて
頑張って生きてきたはずなのに
たくさんの知識　身につければ
強くなれると信じていた

自分を傷つける武器を手放そう
自分を隠す鎧を脱ごう
たった一度きりの人生だから

毎日自分がつくるんだよ
あなたはあなたになればいい

いつも失敗が怖くて不安で
自分ごまかしてばかりいた
たくさんの武器を手に入れたら
強くなれると思っていた

自分を殺して生きてきたけど
怒られても　いいじゃない
大人になるって夢を見ないこと？
笑われても　いいじゃない

あなたはあなたを生きればいい

ねぇ？　大人になるっていうこと
我慢して周りに合わせることなの？

ねぇ？　大人になるっていうこと
笑顔捨て楽しみあきらめることなの？
あなたのイメージが道を作っていく
あなたの勇気が道変えていく
あなたの地図は　あなたが描くんだ
大人になっても楽しい世界を
誰もが好きなように生きればいい
自由に生きることがしあわせになる

スイッチがまた切れた原因

指定難病の症状が出なくなった頃、私は病気で苦しかった14年を取り戻すかのように「後悔をしたくない」と思い、やりたいことを、やりつくしていきました。

少しでも「心地良くない」と感じることや、重いと感じる人を排除しながら「楽しい」だけを追い求めて過ごしていた時期がありました。毎日が楽しくないと、また病気で死んだように生きなければならなくなるのが、怖かったのだと思います。それは極端なまでの思考でしたが、当時は気づかずに「楽しい」を求めて3年間走り続けました。

ところが、毎日楽しくストレスも無いはずなのに、私の身体は再び壊れました。2019年に病気が再発し、また食べられない、動けない状態になりました。そして「自分は本当はどうしたいの?」という気持ちも分からなくなり、心も壊れていたのでした。

この時、自問自答を繰り返す中で、私は楽しむことを「頑張って」いたのだと気がつきました。

そこではじめて「最悪の状態の頑張り」と「最高の状態の頑張り」は、端と端で同じ結果を生むことが分かりました。きっと、そのどちらでもない真ん中の状態がニュートラルで、いい具合に力が抜けて過ごせるのだと思います。いわゆる中道ですね。

穏やかな幸せって、ご飯を食べて、寝て、ぼーっと空を眺めて、風鈴やモビールがゆらゆらしているのを見て、アロマを焚いて、手づくりすることを楽しんで「ああ、今日もこんなことができて楽しかったな」と、そういう自分の心の内を穏やかにする、素朴なことなのだと思います。

そのことが分かった時に、音楽家いとうあゆみさんに丁寧に私の言葉を紡ぎ出してもらい歌詞にしてもらったものを紹介します。楽しむことを頑張っている人に届きますように。

「花の歌」

作詞作曲・いとうあゆみ　編曲・足立知謙　歌・Yutan

安心して 怖くないよ
決めてるのは自分
気楽に力抜いて
今を生きればいい

ぐるっと回って戻って
歩いてきた道

通ってみないと分からない
私だけの道

みじめ悔しさ怖さ辛さ
味わって 出し切って いこう

ひとは笑うために 生まれてきたんだよ
今のままで そのまんまでいいんだよ

わたしを許して　わたしを愛して
ずっと続く私の道を歩いてゆく

悪いもの怖いもの
見ているのは自分 でも
見てみたから 触ってみたから
気づく事が出来た

どうしようもない人間だった
頑張って楽しんだり　だから
わたしのカラダもココロも
チカラを無くした

何も無くても のんびりしてても
空を見てても ご飯食べてても
愛してる 愛されている

ひとは笑うために
生まれてきたんだよ
今のままで そのまんまで
いいんだよ

わたしを許して
わたしを愛して
ずっと続く私の道を歩いてゆく
ずっと続く私の道を歩いてゆく

※ホームページ「Ｙｕｔａｎの森」から2つの楽曲をダウンロードしていただけます。
巻末のＱＲコードからどうぞ！

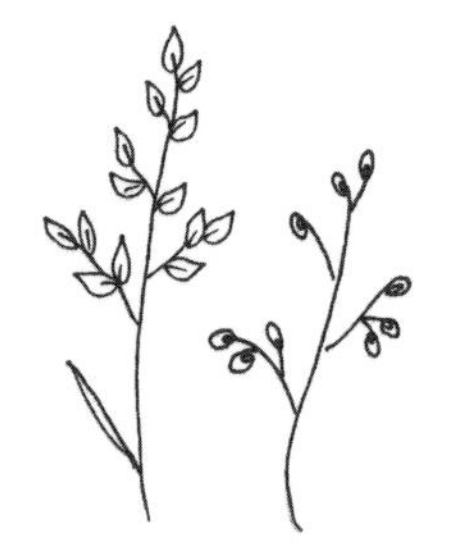

心スイッチのまとめ

- ★親との関係性を客観視しよう
- ★親の期待に応えない
- ★自分のことを、自分で考えよう
- ★気持ちを、即、行動に移そう
- ★自分の想いに素直に生きよう
- ★自分の思うままにはならないことを知る
- ★流れのままにおまかせしてみよう
- ★等身大の自分で生きてみよう
- ★どんなことも頑張りすぎない

猫の柔らかい身体の動きを
まねてみるも、
なんかギコチナイ。
ちょっとライバルな気分。

第7章

遊スイッチをオン!

どんなことでも
おもしろがろう

◁◁◁ 視点を変えて子ども時代の自分を、今、味わう

遊スイッチを入れるためのあなたにピッタリの行動診断！

当てはまるものはいくつ？

①やりたいこと、叶えたいこと、夢がある
②ひとり遊びを楽しめる
③結果が無駄なことでも過程を楽しめる
④仕事をしないリフレッシュするだけの日がある
⑤スケジュール帳に予定を詰め込みすぎないようにしている

◆3～5個

自分の想いがしっかりあります。強くイメージしながら、まっすぐコツコツ楽しみながら進んでみましょう。夢を叶えることのできる状態です。行動し、続けるだけです。休みながら、楽しみながらバランス良く！

◆0～2個

無駄の中に豊かさがあります。「めんどうくさい」の中に大切な物があります。人生は限られた時間しかありません。やってみたかったこと、諦めていたことを思い出してみましょう。

遊び方が分からなかった

「どうやって遊んだらいいのか分からない」と言われる方がいますが、これは学生時代に勉強しかしてこなかった私も抱えていた悩みです。すぐに「ちゃんとしなければ！」と頑張ってしまい「役立つこと」「意味のあること」しかできない癖がついているので、無駄を避けてしまうのです。でも無駄だと感じる遊びの中から、おもしろいアイデアや発想が生まれることが多いのです。遊びは、あなたの暮らしに楽しい気分をもたらしてくれる要素です。たとえ結果が意味のないものであったとしても、その過程を楽しめることが心の豊かさであったりします。遊び方の分からなかった私が、どうしたら上手に遊べるようになったのかをお話ししますね。

子どもの頃の想いを成就させてみた

子どもの頃に、欲しくても買えずに我慢していた物ってありませんか？　お誕生日に本当はこれが欲しいけど親に遠慮をして、安い物を言ってみた！　とか。友達がもっているから自分も欲しくて「みんなもっている！」と言うと「みんなって誰？」とか「うちは、うち。よそは、よそ」なんて言われた経験ありませんか？　どうぞ大人になった今、子どもの頃に欲しかった食べ物でも、おもちゃでも、自分のために「大人買い」してみましょう。

私は大人になってから、シルバニアファミリーの動物たちと、食玩を山のように買いました。レスポワールの焼き菓子も飽きるほど食べました。

「無駄」だと思うかもしれませんが、その無駄を試してみましょう。私は長いこと、子どもの頃大好きだったはずのシルバニアファミリーの動物たちを店頭で見るたびに嫌な気持ちになりました。なぜなら「これが欲しい！」という私の意見より、親の「これにしたら？」と別のリカちゃん人形を与えられ、同じ値段なのに欲しい物を買ってもらえなかったという記憶が何度もよみがえるからです。

ある時、自分の子どもに対して店頭で「これにしたら？」と我が子が欲しがる物より、自分が小さい頃に欲しかったシルバニアの動物をすすめている自分に気がつきました。私は無意識に、親と同じことをしていたのです。「子どもの頃、埋められなかった気持ちを、今、自分の子どもを使って解消しようとしているのだ」と思いました。おそらく私の親も、小さい頃「これにしたら？」と自分の親に言われ、自分の欲しい物を買ってもらえなかったのかもしれませんね。こんな風に、自分の欲求を他者を使って解消しようとしても悲しい記憶は未消化のままです。

でも今、自分が満足するまで自分のために買うことで「欲しかった！」という過去の所有欲をすっかり満たし、新しい記憶に塗り替えることができます。今では、シルバニアファミリーを見るたびに「大人買いしたもんね！」「制覇したもんね！」というう、なんだか愉快な記憶に変わっています。そして、そういえば子どもの頃レスポワールの焼き菓子やパイナップルの缶詰を、ひとりで全部食べてみたかったんだよな！と次々やりたかったことが自分の内側から噴き出してきました。

今まで心の隅に残っていた「本当はこうしたかった」という子どもの頃の夢を、今、大人になったあなたが自分で叶えてあげましょう！　そうすることにより、諦めたり我慢していたことも叶うんだ！　という新しいプラスの体験となり、無意識に閉ざしていた「こんなことをしてみたい」「こんな夢を叶えたい」という自分の気持ちまで分かってくるようになります。少しずつ、焦らずにゆっくりと、やりたかったことを叶えていきましょう。

子どもの時にした遊びを本気でしてみた

もし子育てをする機会に恵まれたのなら、子どもと共に自然の中で遊んでみましょう。子どもの発想の豊かさに驚かされます。よく小さな子どもは、市販の完成したおもちゃよりも、卵のパックやストロー、ただの梱包材などの素材に興味をもち、おもちゃにして遊び始めます。不便があるから考えるし「何か工夫してみよう」と知恵を使うのであって、それがのちの自己表現につながり、生活する楽しさにもつながります。

すっかり完成品に囲まれた現代ですが、工夫や発想力を、昔はみんながもっていました。手を動かし、それを目覚めさせてあげましょう。

大人だって物を拾ってもいいし、子どものように無邪気に過ごせばいいのです。河原で石を拾ったり、公園で木を拾ったり、海辺で貝殻やシーグラスを拾ったり。四つ葉のクローバーを探して押し花をつくったり、シロツメクサを摘んで花冠をつくってドライフラワーにしたっていいんです。自然とたくさん触れ合いましょう。緑に触れるだけでも元気をもらえますよ。

また、おうちのベランダでもいいし、自然のある所へ出かけて、しゃぼん玉をしてみるのもいいですね！　ニューヨークのセントラルパークではバケツにシャボン液を入れて持ち運び、大きなシャボン玉を楽しんでいる大人がいました。シャボン玉がはじける様子を散歩中の大人も子どもも楽しんでいました。とがめる人なんていません。音楽を奏でたり、踊ったり、絵を描いたり、動物と遊んだり、

子どもと一緒に、絵本に出てくるパンケーキづくりに挑戦！

食事をしたり、本当に楽しそうに老若男女みんなが公園で思い思いに過ごしていました。それは、とても穏やかで素敵な光景でした。

私の友人にヒーローショーに出演する「戦隊ローカルヒーロー」がいます。怪人のスーツもお手製で「軟体怪人シナヤカーン」といって、好きな物や背景などのキャラクター設定もシッカリしていて、動きもとてもカッコいいのです！　最初は遊び心から始められたかもしれませんが、海外からの熱いファンもいる様子を見ていると、これはもはや自己表現であり、芸術だと感じずにはいられません。

大人が本気で遊べば、世の中はきっと楽しくなると思うのです。

やってみたいことを、やってみた

「感じるままに」自分がやってみたいことをやってみたら、気づいたらそれが「上手に遊ぶ」ということでした。

映画や芝居を観ることも、音楽を聴くことも、本を読むことも、絵を描くことも、写真を撮ることも、ゲームやパズルをすることも、カラオケやボウリングをすることも遊びだし、公園や遊園地、海外に行くことも遊び、自宅でパンづくりをするのも遊び、カフェやランチに行くのも遊び、おしゃれをしてパーティーに参加するのも遊びです。友達にプレゼントを送って驚きや喜びを味わうことだって遊びです。

どんなことも遊び。難しく考えずに、自分の世界の中に、人だけでなく物だけでなく、いろんなことを織り混ぜて、バランスよく遊んでみましょう。そう思うと、何だか人生は楽しく笑うための暇つぶしのような時間に感じます。「一生の趣味をもて」なんて言われると頭を悩ませますが、要は「遊びを見つけておけ!」ってことかもしれませんね。

今、私が楽しんでいる遊びは3つあります。ひとつ目は、子どもたちが小さい頃から着ている洋服の端切れを少しずつパッチワークしていき、ひざ掛けをつくる遊びです。年々大きなサイズになっていて、私がおばあちゃんになった時、これを使うのです。足腰動かなくなった日に、子どもたち

と過ごした日々がよみがえり、あたたかな気持ちでいられるでしょ？　とても幸せな遊びです。

そして、ふたつ目の遊びは、自分の体験した不思議な出来事や気づきを「誰もに起こること」だと、たくさんの人に伝えたくてコッコツ絵本にしたり、音楽にしていく遊びです。誰かに理解されなくても、ちまちま絵を描き続けていましたが、素敵なご縁が舞い込んできました。大阪の阪急百貨店本店10階「うめだスーク」の林容さんにお声をかけていただき、２０２１年に私の絵本の世界観を元に空間演出させていただく準備を進めています。そのイラストが入った書籍も出版させていただけることにもなりました。本当に驚きと感謝でいっぱいです。

大人になってから、真剣に本気でひとり遊びを続けていると、いつのまにかアーティストと呼ばれるようになりました。そして社会的評価がついてきました。人生何が起こるか分かりません。

そして、３つ目の遊びは「夢って叶えられるのか？」という実験をしています。これは、とてもおもしろい遊びです。今のところ、この遊びには「コツ」があるかもしれないと思っています。

夢を叶える遊びの正体

私は病気で動けなくなった時に「もっと遊べばよかった」「もっと夢を叶えたらよかった」と思いました。だから症状が無くなってからは、夢が叶うと言われる、いろいろな方法を実験してみています。叶ったら嬉しいけど、叶わなくても毎日楽しいのです。だって、これも遊びだからです。

実験結果は「海外で講演してみたい」と言えば、実際に台湾から講演依頼をいただいたこともありました。「空を飛んでみたい」と言えば「空を飛ぶ？」と連絡があったこともありました。またある時は「書いた詞を歌ってみたい」と言うと、作曲や編曲してくださるプロの方と出会いＣＤをつくることになりました。百貨店で個展をしたいと言えば、本当にそんな機会をいただきました。書籍を出版したいと言えば、今こうして書かせていただいています。何のコネもツテもありません。

そして一番驚いたことは、歌は苦手だと思いながらも「ジブリで歌いたい！」と言ったところ、本当に関係者の方からご連絡をいただき、イベントで、宮崎駿監督や、ジブリの関係者、マスコミ、ジブリファンの有志の方々数百人の前で、自分の書いた詞を歌わせていただいたことがありました。まさに夢のような出来事でした。

今もなお「こんな夢を叶えたいな」と言うと、どれもこれも本当に叶っていくので、不思議なことは起きるものだな……と思うのですが、その不思議の正体は「ご縁」だと思っています。

今の私があるのは、関わってくれた人すべてのおかげで成り立っています。何も、良いことばかり、良い人ばかりでなく、嫌な体験も、悲しい出来事も、理不尽な経験も、それを運んできてくれた人も、ひとつも欠けることなく、つながりがあったおかげの上での、ご縁です。そのご縁が、夢を叶えてもくれるんだと私は思っています。

だから、どんなご縁であっても、つながっても、切れても「いつもありがとう」と、感謝をしています。「夢を叶えるコツ」があるとすれば「自分が叶えた！」「自分がすごいから！」ではなくて、ご縁による「周りの人のおかげ」と心から思えているかどうかだと思います。「引き寄せ」なんてことが言われ、さも自分が引き寄せたような表現を見かけますが、つながっていないとそれも起こりません。だから「ご縁」のおかげだと思いませんか？

2019年。宮崎駿監督が緑地保全の活動に取り組んでいる「淵の森」という東京都東村山市と所沢市にまたがる雑木林の清掃をするイベントにて。この森は「となりのトトロ」の構想を練った場所のひとつとして知られています。

遊スイッチのまとめ

- ★結果にとらわれず過程を楽しもう
- ★子どもの頃の些細な夢を叶えてみよう
- ★自然の中で、子どもたちと遊んでみよう
- ★やってみたいことを、やってみよう
- ★ご縁を感じて生きてみよう

第8章

学スイッチをオン！

自分の知らない自分と出会う方法

◁◁◁ 何歳でも好奇心をもって学べる自分になる

学スイッチを入れるためのあなたにピッタリの行動診断！

当てはまるものはいくつ？

①月に1冊以上、本を読んでいる
②新しいことを常に学ぼうとしている
③尊敬できる師がいる
④習い事をしている
⑤やってみたいことがある

◆3〜5個

向上心と余裕があり、成長を続けていると思います。学びの中に花道、茶道、書道、剣道、柔道など「道」がつくものを取り入れると、自分の中に柔軟な軸が生まれ、さらに深みを増して自信がつきますよ。

◆0〜2個

人と比べず、自分のペースで興味あることを、気軽に学んでみましょう。誰でも「初めて」はあります。合わなければ、やめれば良いです。まずは気になったことを行動に移しましょう。新たな居場所ができますよ。

年齢不詳の人の共通点とは？

私の友人は、10歳や20歳以上若く見える人ばかりです。還暦でお孫さんがいたり、40代50代で大きな子どもさんがいても、20代や30代に見える人だらけなのです。私自身、指定難病を患っていた時は、おばあちゃんのような容姿や雰囲気でしたが、40代で3人の大きな子どもがいる今は、20代に間違われたりもします。

友人たちの共通点は「自分の興味あることを学び続けている」ということです。ひとつのことだけにこだわるのではなく、気持ちが変われば、また新たなことをすぐ学び始めています。興味をもつと、その場で調べ、その場で申し込むほどのフットワークの軽さが若さの秘訣かもしれません。

4、5年前に出会った50代のとても美しい女性がいます。当時メイクと着付けと日舞を学ばれており、最終的に和のお稽古をする先生をされていましたが、今は得意の料理を追及し、薬膳料理を習得し、身体に良い食事が学べる教室を開かれています。

そしてさらに、身体に心地良いことや健康を追求され、毎朝マラソンをし、筋トレを始め、夏にはマリンスポーツを楽しんでいらっしゃいます。スタイル抜群で心身共に健康！　もうすぐ還暦で、お孫さんがいらっしゃいますが、つややかな肌を見るたびに、年齢はただの数字だと感じます。

また70代の方で、どうしても学びたいアロマオイルのオンライン講座を、まわりの若い人に聴きながらzoomでチャレンジしている方もいらっしゃいました。パソコンは苦手！　インターネットは怖い！　と終わらせずに、歳下の方に教えを請う姿勢も素晴らしいと思います。初めはできなかった行程を、ご自身だけでできるようになった姿を見て、いくつになってからでも学ぶことはできるんだ！　と思いました。

絵本画家のターシャ・テューダーもは晩年も「89歳になった今も、いくつも計画があるの。バラの専門家になることは、そのひとつよ」と、新しい学びに、いとまがありません。（『ターシャ・テューダーの言葉3　今がいちばんいい時よ』KADOKAWA/メディアファクトリー刊）

どんな健康法より、どんな美容液よりも「興味あることを学び続ける」ことが、人を内側から輝かせるのだと思います。そして今から何かの専門家にも、なれるのです！　若く美しく歳を重ねていきたいものですね。

学ぶ動機は、不純でいい

「何かを学ぶ」となると、襟を正して、きちんと結果を出すまで学ぼうと、いきなり自分の中のハードルを上げてしまう人がいますが、もっと気楽でいいのです。「異性にモテたい」「すごいって言われたい」「ユニホームを着てみたい」「キレイになりたい」「一目置かれたい！」「そんなことしている自分が素敵」――そんな風に、案外、力が抜けている方が、しっかり学びが身についたりします。私は、大人になってから学んだことの方が、学びが深いと感じています。

そのひとつに書道があります。5年間ほど続けましたが気がついたら十段になっていました。おかげで、熨斗(のし)袋の「御祝い」などサラサラっと書けたり、人前で芳名帳を書く時も堂々と書くことができるようになりました。季節を意識した便箋に、こだわった切手を用意して、お礼状を書く楽しみも増えました。学ぶ動機は、何だって良いのです！

「師」からの学びでコンプレックスを解消できた

私が書道を習った先生は、常々「人生の師をもちなさい」とお話しされていました。その言葉どおり、私は70代のお寺のご住職を師と仰いでいますが、誰かを尊敬している限り、慢心して尊大な態度をとったり、偉そうに振舞うことが無いと感じています。師をもつことは謙虚でいられるのです。そのことも教えていただけたと感じています。

また、「ボイス・トレーニング」を2年間ほど習ったことがありました。声のコンプレックスと、歌の苦手意識が強かった私は、著名人のボイトレなどをなさっているボイスジム代表のChibi先生とご縁があり「心と声、身体、頭はつながっている」という独特なレッスンと先生の思想に触れたおかげで、過去の嫌な想いを手放すことができ、歌うことが楽しくなりました。今では嫌いだったはずのカラオケが、ストレス解消法のひとつになっています。

「英会話」も何年か続けていますが、堪能でないながらも、外国の方を見つけては、話しかけてみよう！　という勇気が身につきました。「日本語なまりの英語って、可愛いのよ」「間違った使い方をしたら喜んでくれるよ」という先生の言葉で、ずいぶんと気楽になれました。

「師から学ぶ」という習い事の良さは、独学と違い、その学問だけでなく先生の思想に触れて世界が広がるという点です。

こんな風に、大人になってからの習い事は「この先生から学びたい！」「自分で学ぼう」という意識が強いので、子どもの時と違い、身になる要素が大きいようです。コンプレックスだったことも楽しんでいるうちに、随分と解消されるので、気軽に「学ぶこと」を楽しんでみましょう。もちろん手軽に家で始められる独学も良いでしょう。誰でも最初は初心者ですから、周りと比べず、新しい世界に飛び込んでみましょう。

「すぐ飽きる」は良いことだった

いろんなことを学んでも「飽き性なのでひとつのことだけを続けられない」という悩みを聞いたりしますが、私も同じです。だから絵も作風の違うものを描いたり、詞を書いたり、曲もつくるし、歌いもするのです。飽きても、またしたくなる時がくれば続きをすればいいだけです。

興味をもてないことを続けても苦痛です。どうしても到達したい目標があるのなら、師をもち謙虚に学び続け、頑張らないといけない時もありますが、私のように「毎日を楽しく心豊かに過ごす」が最優先なら、飽き性をプラスだと捉えてみましょう。

ひとつのことを続けている職人の友達と話をすると、みなさん「何でもできていいね！　私はひとつのことしかできないから」と言われます。ものすごい域まで到達している職人技に出会うと、興味が移る私の作品レベルは、絵も歌も中途半端だと思わずにはいられないのですが、それは自分の意識の中でそう感じているだけで、側から見れば、私のスタイルも、世界観も、唯一無二です。

とある美術業界の方に言われたことがありました。

「いろんなことができる芸術家が、分野の垣根を越えてつながり、これから世界が変わっていく。あなたは、そういう存在だと思います」

この言葉を聞いた時、芸術を生業（なりわい）にしていても、無理に従来の職人になろうとせず、枠に自分をはめこもうとせず、新しい居場所をつくればいいな！　と思いました。

飽き性である分だけ、いろいろな分野の学びが身についています。それらが織り交ぜ合って自分の思想となり、表現になるのだから、素晴らしいことだと思います。ひとつのことを続けるのもよし！　いろいろなことをするのもよし！　あなたは何を学びますか？

学スイッチのまとめ

- ★興味あることを学んでみよう
- ★学ぶ動機は不純でいい
- ★「師」からの学びでコンプレックスを手放そう
- ★飽き性をプラスに捉えよう

第9章

表現スイッチをオン！

自分だけの何かを生み出す方法

◁◁◁ 感じたものや想像したものを素直に形にできる

表現スイッチを入れるためのあなたにピッタリの行動診断！

当てはまるものはいくつ？

①自分の想いをどんな形でも良いので表すことができる

②お金にもならない意味のないことを黙々と続けられる

③自分の役割を自覚できている

④めんどうくさいことでも行動に移すようにしている

⑤自分の想いをめぐらすことが好き

◆3〜5個

たくさんの物を生み出しましょう。自分と対話して生まれた作品は「あなたそのもの」と言われるようになります。あなたの世界観に共感し、喜びを感じ理解してくれる人が現れます。

◆0〜2個

まずは、やってみたいことを続けてみましょう。最初は誰かや何かの真似でも構いません。その中で、自分の気持ちを感じ、表現し、また感じ、表現し…を繰り返してみましょう。少しずつ自分の作品を生み出せるようになります。

自分の表現が見つかった

「表現」とは「表に現す」と書きますよね。自分の感情や思想・意志などを形として残したり、態度や言語で示したりすることです。つまり、自分のことをよく知り、よく分かっていないとできないことなのです。自分のことが分かるにつれて自己表現は自然とできるようになります。最初は、誰かや何かの真似ごとかもしれません。それでも続けていくうちに「自分って、こんな人間なんだ」と自分自身への理解が深まり、人に想いを伝えたい！ 人の想いを聴きたい！ 他者と分かり合おうとすることが言葉を越えて、何かの表現になっていきます。それが、その人らしさ、その人の価値なのかもしれません。

表現と言っても大それたものばかりではありません。写真を撮って Instagram に投稿した物も、ダンスも、落書きも、すべて表現です。

表現は人間関係を円滑にする潤滑油のような一面があります。作品など、その人の表現を見れば、その人そのものなので、人となりが分かります。言葉足らずでも、自分の至らない部分を表現が補ってくれたり、自分の想いが伝わりやすくなり、人との誤解を生みにくくなります。

また、自分の考えや、想い、生き方に軸ができ、それが自信となり、自分自身や自分の生み出した作品に誇りをもてるようになります。さらに、同じ表現活動をしている人に出会う機会が増え、新たな価値観に触れたりして、世界が広がります。あなたの暮らしが、より楽しく豊かになります。

では、どうしたら自己表現できるのか……？　それは、他の章で紹介した8つのスイッチを深めていくことです。そうすることで自分を知ることができるからです。

今でこそ、私は毎日、あたりまえのように絵を描くという表現活動をしていますが「描きたくても描けない」という時期がありました。描けばいいだけ！　と頭では分かっていても、周りの評価が気になったり、できた作品も「まだ、これは私じゃない」と感じる物ばかりでした。その中で、今のように納得のいく「私が生み出した」と自信をもてる表現ができるようになった要因はふたつありました。

ひとつ目は「期待されている自分を演じない」ということ。これは周りが私にもつ「ふんわり」としたイメージ像をそのまま抽象的な作品にしていた時期があったのですが、本来の「気の強い私」から自然に生まれる原色や黒白だけの作品とギャップがありました。しかし、私そのままのハッキリとした色の絵を何百点と描き、個展をし、自分をさらけ出しました。

私自身が、どんな自分も受け入れられた時、自分らしい作風にたどり着くことができました。それが、お寺の捨てられる蝋燭(ろうそく)を使った作品です。岩絵具で緻密に描き込んだ絵は、私の神経質なきっちりしている部分が表れているし、それを覆い隠すように半透明の蝋で包む、ふんわりしている作品。これは、私そのものでした。

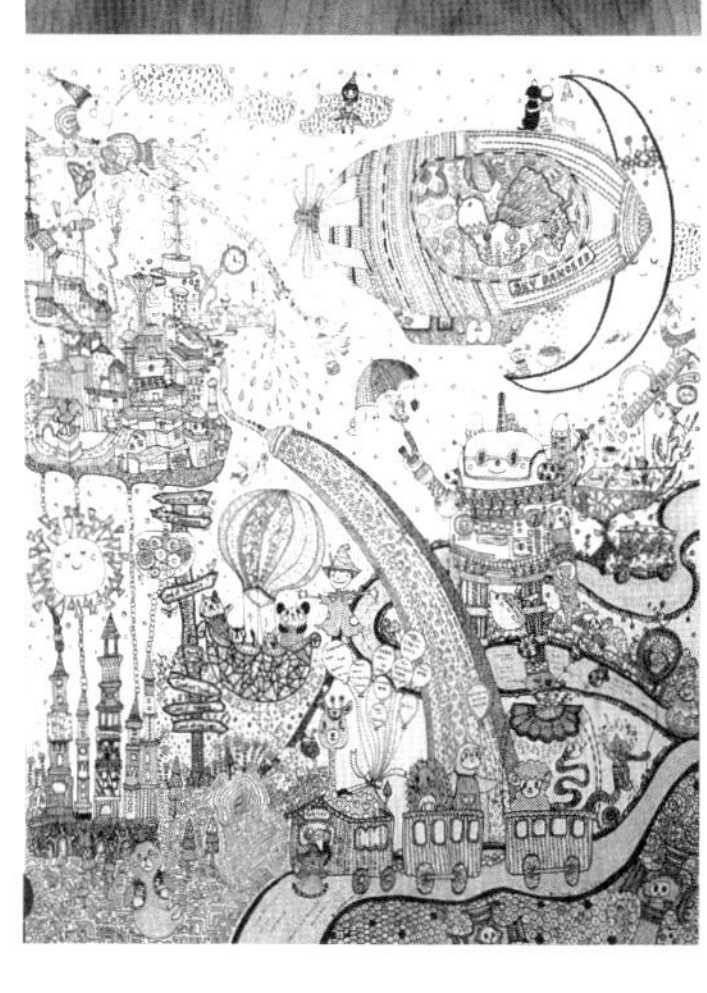

ふたつ目は「評価は気にせず、楽しめているか」。これは、音楽でもダンスでも絵でも書でも、作品を見れば「楽しんでいるのか」「評価されたいのか」すべて気持ちが透けて見えます。「すごいだろ?」「評価して欲しい」という作品に、素晴らしいと評価する人はいません。「楽しんでいる作品」や「共感できる作品」に多くの人は「いいな」と反応します。だから、どんどん自由な発想で遊んでみましょう。技術は必要になれば、そのつど学べば良いことです。頭でっかちになり難しい技法を駆使することに集中してしまうと、シンプルなはずの本来の自分とかけ離れていきます。

美大卒の方が私の個展に「あなたの描く、子どものように自由な絵を描きたい」と相談にいらっしゃったことがありました。多くの知識、技術や技法を学んできた分、型にはまってしまうそうで「この場合は、こうあるべき」という作品になり、何でも綺麗にまとめてしまい、おもしろくない、とお話されていました。深く考えすぎると余計に手が止まってしまいます。技術を学び、練習をすれば、誰でもある程度は上手くなります。でも、あなたらしい、おもしろみがあるオリジナルの表現は、そこに答えは無いかもしれませんよね。

人それぞれの役割がある

心に余裕がない緊張状態だと想像はあふれません。寛いだ時間に、おもしろいアイデアが思い浮かんだりします。私は入浴中に楽しいことを思いつくので、日に2、3度風呂に入ります。楽曲は、ほとんどが鼻歌から生まれていて、それを譜面に興しているだけです。それくらい、肩肘張らずに気軽に「素の自分」の表現を楽しんでみましょう。

昔、団地に住んでいた頃、1階に住む女性が、花壇やベランダを花屋敷のように彩っていました。こんな風に、花を美しく咲かせて、自分や周りの目を楽しませることも、その方の立派な表現です。自分の想いを、オリジナルの形で表していますよね。本当に枯れることなく、いつも美しい花で溢れていました。その女性自身はどう感じていたのかは分かりませんが、もしかしたら「自分の役割」だと思われていたかもしれません。20年以上前、勉強しかしていなかったギスギスした学生時代の私には気づきもしない「目の前の豊かさ」を伝えようとしてくださっていたのかもしれません。私の心に種を蒔いてくださり、時を経て、今、そのことが分かる身となりました。ありがたいです。

自他の表現を楽しむ

きっと、どの分野でも、最初はその道のプロを見て、自分が表現するなんて恐れ多いと、おじけづくと思いますが「どうせ失敗するなら、やるだけやってみよう」くらいの気概で一歩を踏み出してみましょう。

その道の一流と呼ばれる人は否定なんて、いっさいしません。なぜなら表現は、その人そのものだと知っているからです。その人の表現を否定することは、その人そのものを否定しているのと同じです。

ある時、素人に毛が生えたレベルにも達していない私の歌の編曲やレコーディングをしてくださった、株式会社アイボリーミュージック代表の足立知謙さんが「これは今のYutanの表現。また変わるからね」と楽しそうにお話しくださったのを覚えています。また、私が緊張しないようにほめながら賑やかにレコーディングしてくださいました。数々のCMや映画やドラマの劇中音楽を手がけられる、音楽家の中の音楽家であるにも関わらず「生きる喜びを表現する」という、私の伝えたいことに、快くお力添えくださり一流の方の寛大さを知りました。素敵だなぁと思いました。

他人の表現に、好き嫌いはあって当然ですが、上手か下手というのも、評価する人の単なる主観とも言えます。だから、周りの評価は気にせずに、あなたも表現してみましょう！　そして、いろんな人に出会い、たくさんの表現を見て、違いを楽しみましょう。

表現スイッチのまとめ

- ★期待されている自分を演じない
- ★どんな自分も、自分が受け入れよう
- ★評価を気にせず楽しもう
- ★自分にも役割があるかもしれないと思ってみる
- ★いろんな表現に触れる機会をつくろう

おわりに

「今日、おいしい物を食べましたか？」

まだなら、あなたの好きな物を食べてくださいね。

「今日、声を出して笑いましたか？」

まだなら、誰かと話をしたり、YouTubeを観たり、漫画を読んでみると良いかもしれません。少しずつ、毎日の暮らしの中に、あなたが喜ぶことをして欲しいと願い、この本を書きました。


毎日同じことの繰り返し……。嬉しいとか、楽しいとか、面白いとか、悲しいとか感じなくて、ただ毎日を終えるだけ。何かをするのも面倒くさくて、やる気が出ない。もしくは、誰かと比べて、焦ったり不安になったり、落ち込んだり妬んだりしてしまう。そんな人が「私って、実はこんなに幸せなんだ！」「毎日を、ゆったりとした気持ちで、楽しく過ごせるんだ！」と、笑顔になれるヒントを、この本に詰め込みました。机上の空論では無い、実体験を元にして、まとめました。

私は22歳の時、誰もがなり得る指定難病「潰瘍性大腸炎」を発症し、14年経った36歳の時に症状が消えていきました。当初は「ご飯を何でも食べられて、外を自由に歩けるなんて、もう一生ない」と思っていました。ましてやオシャレをできる日が来るなんて、思ってもみませんでした。なぜなら、夏でもカイロを手放せないほど冷え切った身体でしたから。

でも今、毎日私は、綺麗な景色を観たり、お気に入りの服を着たり、気になる場所に出かけたり、何かをつくってみたり、おいしい物をほおばったり、誰かと笑い合うことができます。とてもそれは、すごいことだと思うのです。時々……泣きそうになります。これらすべてが、あたりまえではないことを痛感したからです。

14年の長い時間「何が、人の幸せなのか」「どう生きたら、人は幸せなのか」と日々、考えて行動してきました。お金をたくさん稼ぐこと？　大きな家に住むこと？　いい車を持つこと？　犬を飼うこと？　ブランド物をたくさん身につけること？　大きな会社に勤めること？　友達がたくさんいること？　子どもを産み育てること？　有名になること？　これらの幸せは、病院のベッドの上では、いずれ通用しなくなるとしか思えない「幸せの形」でした。

それでは、どういう姿が人の幸せなのか？　それは、そんなに難しいことではありませんでした。空を見上げて、移りゆく雲の様子を眺めたり、目の前に転がる、ちっぽけな石を見て「ああ。こんな形をしているんだなぁ」とおもしろがったり「あれ？　石の下から小さな芽が出ているぞ！」と気づくような、ささやかな出来事に驚いたり、微笑んだりすることが、人の心を豊かにするのだと思いました。そんな、一見どうでもいいような、ちっぽけと思うようなことに感動する心を育てることが、心豊かに歳を重ねていく秘訣のように思います。

どうぞ、あなたも毎日を、涙が出そうになるくらいに感動して生きて欲しいです。食べることも、眠ることも、出歩くことも、青空や星空を仰ぐことができるのも、決してあたりまえなことではありません。

海も山も空も月も太陽も、動物も植物も虫も細菌もウイルスだって、みんな繋り合って、支え合って生きています。人間もその中の一員です。人間だけが特別な賢い存在ではありません。むしろ人間は、うっかりそのことを忘れてしまう一番愚かな動物かもしれません。

もし、どう生きたら良いか分からなくなった時は、自然に触れてください。豊かさの中に生きることを、いつも変わらず自然が教えてくれています。

時間はゆったりと流れていることを、朝の太陽を浴びて、だいだい色の光に包まれて、散歩をして、芝生に寝転んで、空を見上げて、流れる雲を眺めて思い出してください。

私も、あなたも、みんな輝いている存在だということを、海の波に耳を澄ませて、呼吸を整えて、夜空の星々を見上げて感じてください。

何かや誰かと戦わず、あたたかな風を感じて、のんびり、ゆったり過ごせばいいのです。あなたの毎日を、あなたが笑顔になるように、あなたの歩幅で歩んでください。やさしく生きてみてくださいね。

「人は笑うために生まれてきた」

あなたの毎日が、今日も朗らかで健やかでありますように。


本書をつくるにあたり、お世話になりましたみらいパブリッシングの皆様、いつも親身になってくださり、こんなにも素晴らしい機会を与えてくださり、本当にありがとうございました。必要な方の元に、この本を届け続けたいと思います。

また、いつも応援くださる皆様、私の活動を支えてくれる友人、家族、そしてこれだけの学びを本書にできるように、きちんと育ててくれた両親に感謝します。この本が、あなたの背中を押し、毎日が心豊かに過ごせるきっかけになれば幸いです。私と出会ってくださったすべての方に、心から、ありがとうございます。そして、これからもよろしくお願いいたします。

Yutan

Yutan

アーティスト
1978年生まれ。大学４年生の頃に重度の潰瘍性大腸炎を発症。鬱、強迫神経症を併発。３カ月間の入院と長期絶食を経験。改善するまで14年間、ほぼ自宅に閉じこもって過ごす。その間、結婚し３人の子どもを出産する。
生活の不自由を味わう中で、自身を実験台とし難病を克服した経験を国内外の講演などでシェア。「安心して生きる幸せ」「心豊かに生きること」を伝えるため、2016年より絵画や絵本、作詞作曲という形で表現。芸術家として活動する傍ら2020年より９workshopを始める。

ホームページ
https://artyutan.themedia.jp/

Facebook
https://www.facebook.com/yutan43

Instagram 暮らし
https://instagram.com/yutanlife?igshid=2wjoijvd39s7

YouTube
https://youtube.com/channel/UCeNl4L89U021erox6Iso0Jg

Instagram 作品
https://instagram.com/43yutan?igshid=1abox2qlqarik

Twitter
https://twitter.com/43yutan?s=21

自分を整え、暮らしを楽しむ
9つのスイッチ

2021年4月22日 初版第1刷

著者／Yutan
発行人／松崎義行
発行／みらいパブリッシング
〒166-0003 東京都杉並区高円寺南4-26-12 福丸ビル6F
TEL 03-5913-8611　FAX 03-5913-8011
http://miraipub.jp　E-mail:info@miraipub.jp
編集／小根山友紀子
ブックデザイン／堀川さゆり
発売／星雲社（共同出版社・流通責任出版社）
〒112-0005 東京都文京区水道1-3-30
TEL 03-3868-3275　FAX 03-3868-6588
印刷・製本／株式会社上野印刷所

ISBN978-4-434-28755-8 C0077